汉 语 写 作 教 程

Developing Chinese Writing Skills

罗青松　编著

华 语 教 学 出 版 社
北　京

First Edition 1998
Second Printing 2001

ISBN 7-80052-523-6

Published by Sinolingua
24 Baiwanxhuang Road, Beijing 100037, China
Tel: (86) 10-68994599
(86) 10-68326333
Fax: (86) 10-68994599
E-mail: sinolingua@ihw.com.cn
Printed by Eeijing Hongwen Printing House
Distributed by China International
Book Trading Corporation
35 Chegongzhuang Xilu, P.O. Box 399
Beijing 100044, China

Printed in the People's Republic of China

序

编教材不容易,编对外汉语写作教材更不容易。这是因为现有的对外汉语写作教材不多,可供借鉴的更少,而供中国学生使用的写作教材大多空谈写作理论,对训练学生的写作能力起不了太大作用。因此,要编一部适用的对外汉语写作教材就不得不另辟蹊径,苦自经营。罗青松教授在国外执教期间接触了不少西方国家写作教学的理论,而西方国家的写作教学恰恰重点在培养学生的写作能力,这样,再加上她长期从事对外汉语教学的丰富经验,才写出了一部有自己特色的写作教材来。这部写作教材的特色是:重点放在训练学生的写作能力上,而不尚空谈写作理论;教学内容充实而富有弹性,教师可以根据教学对象的实际接受能力而加以选择;范文、写作知识和写作实践相结合,语法知识、语汇知识和实际运用相结合;范文内容生动、活泼,突出了生活性、知识性、趣味性,同时又注意到了思想性;练习多样化,可供不同水平的学生使用。

胡明扬

1997 年 11 月

编写和使用说明

《汉语写作教程》是为具有中级汉语水平(2—3 年级,起点为 HSK 3 级至 6 级)的外国人编写的写作教材,可供一学年教学使用。

全书 20 课,分 5 个单元,每单元 4 课。各单元有体裁大致相近的训练项目。在基本以文体划分的单元训练项目的线索之外,还有语言训练项目这条与之交叉或平行的线索。标点符号的使用、句子成分及用法特点、基本句型和几种较为特殊的句式、汉语特有的虚词以及关联词语及连句、连段等语篇手段,以及文章常用的表达方式等书面表达中的主要问题,都穿插安排在各课的训练项目中。

第一单元是造句到语段、语篇等书面表达的起始训练。在 4 篇课文中,小记叙文和日常应用文各占 2 课,写作训练内容包括听记故事、看图写故事,便条和启事等。语言训练项目有汉语句子的基本成分及语序,汉语标点符号的运用等。

第二单元除 1 课书信写作的指导训练之外,其余为记叙文练习。写作训练重点包括组段成篇、按时间顺序叙事以及按事件发展过程记述等。语言项目有动态助词及补语的运用等内容。

第三单元以说明文的写作训练为主。语言项目则较为集中地安排了一些汉语特殊句型的训练,如"把"字句、被动句、存现句等。

第四单元是在第二单元的基础上循环式地推进训练。除一课为专用书信的写作之外,其余为记叙文练习。但内容和形式都较第二单元的记叙文复杂,有人物描写训练,也有记叙、说明以及议论结合的作文练习。语言项目有自然连句的方式,如省略、指代以及用于句间、段间的连接语句等。

第五单元以议论文写作训练为主。有一事一议、小议论等简单议论文的练习,也包括微型调查报告以及较为完整地表述个人观点的议论文。语言项目有比较句式的运用,关联词语以及篇章连接词语等,也包括引述别人话语的方式以及引出论点、结论的语句运用等训练。

每篇课文大致由范文、生词、注释、练习(课堂练习以及课后作文练习)几个部分组成,应用文训练有个别例外。

一、范文:每课选择的范文较为集中地包含了一些语言训练重点,这一方面可为教师选择教学用例,另一方面也可作为学生写作训练的范文。安排在各篇课文中的每组范文语言难度有一定的差异,教师可以根据学生的具体情况选择全部或其中某些篇目作为该课写作指导的范例,或用两次课完成一篇课文的学习,从易到难安排一个循环式的训练。

二、生词:尽量精选范文中的生词加以解释,目的是疏通范文阅读的障碍。有的词语能够根据上下文明白词义的,就不列为生词。生词不作具体讲解,而以汉、英翻译形式列出,释义一般也仅限于范文中的义项。

三、说明:通过范文以及其他语言运用实例,针对重点语言训练项目进行讲解说明。内容包括句型、词语运用、常用的表达方式、基本语篇手段等内容,也包含一些基本写作知识,如日常应用文及书信写作格式等。这种讲解基本上是对学生已经接触、了解的语法基础知识,从写作教学的角度加以强调或补充,启发学生有意识地运用学过的语言知识,并纠正其书面表达中的错误。

四、课堂练习:结合本课的重点训练项目,为在课堂上进行练习而设计的项目。力求为课后的作文练习打基础、做准备。形式上注意到以书面表达训练为主,也考虑到写作课堂教学群体性,力图把写练的个体性练习项目和课堂的群体教学形式结合起来。例如,基本每课都含有小组活动的练习方式,并且注重书面表达的练习。

五、作文练习:设置几个可供选择的作文题,并适当加以提示,让学生在课下单独完成。题目可作为参考,教学中教师可以根据学生的情况加以调整或把它具体化;也可加以扩展,使学生有更为宽泛的选择范围。

传统的对外汉语写作课教学较少使用教材,原因之一就是讲授的内容有相当一部分是针对学生习作的内容安排的,如分析范文、讲评作文、改正语病等。这种方式使教学内容有针对性,但随意性太强,缺乏系统性、全面性。使用教材教学把训练重点循序渐进地安排在各个阶段的教学中,可以使写作教学较为系统、全面。但在实施时应该注意到课堂教学的针对性和灵活性。我们从以下三个方面提出使用本教材的要点,供教师参考:

体现讲练的层次性

本教材内容和体裁上保持相对完整性的基础上,形成从易到难、循序渐进,从易到难的基本轮廓。从起始的第一单元,造句、语段、语篇的基本训练,到最后的第五单元,写较为完整地表述个人观点的议论文。语言训练项目,也从基本的句子结构、主要成分到一些修辞手法的介绍。在教学中,除了这种总体的把握之外,教师更须注意到每一课的讲授处理,把握从易到难的小循环。

写作教学特点是较为凝聚、浓缩。一般一周安排一次课,2 课时。本教材的教学进度除个别小应用文之外,可以安排两周(4 课时)完成一课。教材中每篇课文中的 3—4 篇范文可以分两次介绍。先选择语言较浅易的 1—2 篇讲解、提示语言训练重点。从课堂练习项目中选择比较集中反映训练重点的部分,进行强化,从而尽快导入语言运用环节,为课下的作文训练打基础、做准备。到第二次课,应该把学生作文的内容反馈到课堂的讲解练习中。结合讲评,把教材中难度较高的范文和学生的习作例文结合起来作为范例。课堂练习也可以针对难点来进行,在这个基础上指导学生做第二次类型相同,但难度较大的作文。布置的作文题目可以选择命题、半命题,以及自由命题多种方式。而训练的层次不仅反映在题目上,更应该在写作指导时,在语言运用的灵活性、准确性,表达内容的丰富性、深刻性方面提出更高的要求。

体现讲练的针对性

任何课后的教学都应该注意到教学的思维特点、语言水平等,而写作课的课堂教学,教学内容的针对性尤为重要。课堂教学内容应该把教材和学生习作中可供分析的语料(包括正反两个方面)融为一体,重新组合成具有较强的针对性的教学内容。使用本教材时,教师有一个很大的发挥余地。教材中提出的各课的训练重点,写作项目,语言练习项目,甚至可以仅作为一个提示,一个基本框架。带动学生练习时,要注意反馈的信息,不断把学生练习中的问题和难点吸收为课堂教学中分析的语料或讲练的主要内容。例如一些汉语的特殊句式的训练项目,教材设计了改错练习,在实际教学中,完全可以用学生自己的问题充实或取代这类练习。习作范文,同样也应该把学生中好的文章作为第二次课堂上的讲练范例。至于作文题目的设置,同样具有很大的灵活性,应根据学生的兴趣、水平等各方面情况随时调整。

体现讲练的群体性

写作课的课堂组织是有难度的,因为写作是个体行为,而课堂教学是群体活动。为了把课型特点和课堂教学形式结合起来,在本书的练习设置上,融进了小组讨论活动,以及口头作文调动学生较广泛地参与课堂活动。小组活动一般是分成 3—5 人的小组,围绕某个课堂练习中提示的题目,进行讲述或讨论;要求记录或书面总结、概述别人的发言;口头作文可以让学生先阅读教材中提供的范例，准备好详细的提纲，在小组或班上发言。这种讨论发言与口头作文虽是口头表达的形式，但真正的训练目的是为书面表达作准确，直接或间接导入课下作文练习。与口语课的成段表达训练相比，口头作文要求语言运用更为规范准确，内容要相对完整，具有书面表达的特点。

通过这样说写结合的群体性练习，学生可以在语言表达方式，到选材上互相启发，并且能够体味到写与说的不同，感受到书面表达更为准确、完善的特点。

本书提供的训练项目以及以上提及的使用教材的方式，及课堂上对教材各部分内容的处理意见，仅供参考。写作课的教学与其他课型相比，教学进程与学生反馈的信息，如学生课后作文的语言水平及语言问题等，联系更密切。在具体运用中，教师的调度指导作用是很关键的。安排教学时，如何使课堂练习、范文讲解、作文练习等方面的训练找到最佳组合方式，需要教师根据教学对象的实际情况在教学内容和方式上灵活处理，根据学生实际写作训练中的问题选择、调整、补充。

胡明扬教授在本书写作过程中提出宝贵意见并审阅全稿，我由衷地感谢他的指导。同时我对在本书写作、出版过程中给予支持帮助的专家、同行与学生也表示感谢。

本教材范文大部分选自书刊、报纸。根据教学需要，对原文作了较大删改。除了个别作者或出处不详的篇目之外，都在文后注明了原文作者和出处。由于条件限制，未一一与作者取得联系，在此表示歉意和感谢。

编　者

目　录

第一单元

第二单元

第三单元

第四单元

第一单元

第　一　课

训练重点

1. 听记小故事
2. 正确使用标点符号
3. 汉语句子的主要成分和一般语序

一、三个和尚

在小山上有一座寺庙，里面住着一个胖和尚。他一个人住，没有别的人可以依靠，只好自己下山去挑水。后来庙里又来了一个瘦和尚，于是两个人去抬水。他们俩谁也不肯多出力，都想占点儿小便宜。过了一些日子，又有一个小和尚来到庙里，他们三个人谁也不愿意去挑水。他们互相依靠、互相推托，都宁肯坐着、渴着，也不去挑水。

一天，一只老鼠咬坏了寺庙供桌上的蜡烛，蜡烛倒在地下，引起了一场大火。庙里没有水，这三个和尚都着了慌，他们再也顾不上计较谁吃亏谁占便宜，都争着去挑水。由于大家齐心协力，终于扑灭了大火。

这件事使胖和尚、瘦和尚和小和尚都受到了教育，他们明白了，只有共同努力，才能克服困难。从此，他们再也不为挑水的事情争执了，大家共同劳动、互相帮助，大家又都有水喝了。

生　词

和尚	héshang	Buddhist monk

寺庙	sìmiào	temple
依靠	yīkào	rely on
推托	tuītuō	make excuses (for not doing something)
齐心协力	qíxīn-xiélì	work as one, make concerted efforts
扑灭	pūmiè	put out

二、团结就是力量

从前有两个人,一个是盲人,一个是跛子。他们一起在一段不好走的路上走着。这条路高低不平、坑坑洼洼。盲人看不见,只是觉得路越来越难走,只好停住脚步对跛子说:"先生,这条路实在太难走了,我又一点儿也看不见,能帮帮我吗?"

"我当然很愿意帮助你,可我的腿瘸了,走路很不方便,走在这样艰难的路上,我是自身难保,怎么帮得了你的忙呢?"跛子一边说,一边摇头叹息。

他们一块儿坐在路边休息,叹息自己的命运不好,无法像健康人那样行走。盲人用拐杖敲着地面说:"我要是能看见就好了。"跛子用手摸着自己麻木的腿:"要是我能有一双像你那样的好腿该多好啊!"

盲人突然高兴地说:"我有一个主意,我们可以一起试试。如果你趴到我的背上,我能背着你走;你呢,就能告诉我该往哪儿走。这样我们就能共用你的眼睛和我的腿。"

跛子也觉得这个主意不错,他趴到盲人的背上;盲人背着跛子,按照跛子的指点向前走。他们俩互相帮助,共同走过了这段艰难的路。

生 词

团结	tuánjié	unite
盲人	mángrén	blind person
跛子	bǒzi	lame person
坑坑洼洼	kēngkeng-wāwā	(of road surface) full of bumps and hollows
叹息	tànxī	sigh
拐杖	guǎizhàng	walking stick

艰难	jiānnán	difficult,hard

三、放羊的孩子

有一个放羊的孩子,每天到一座山上去放羊。有一天,他突然想跟大家开个玩笑,于是,他就大叫起来:“狼来了! 狼来了!”

在山下田地里干活的农民听见了他的喊声,都拿着锄头、棍子,跑到山上来帮助他打狼。这个孩子看见大家着急的样子,却哈哈大笑。

第二天,这个孩子又喊起来:“狼来了! 狼来了!”农民们又急急忙忙地赶到山上,他们发现这个孩子又在骗他们,都非常生气;而这个放羊的孩子觉得挺好玩,一点儿也不在乎。

第三天,狼真的来了。放羊的孩子拼命喊:“狼来了! 狼来了! 快来打狼呀!”这次没有人再相信他了。山下的农民们都摇摇头说:“这个孩子又在撒谎,大家别理他!”狼把羊吃了,放羊的孩子后悔地哭了。

生　词

锄头	chútou	hoe
棍子	gùnzi	stick,cudgel
骗	piàn	deceive
撒谎	sāhuǎng	tell a lie
后悔	hòuhuǐ	regret

四、牛郎织女

天上的织女是王母娘娘的外孙女,她常常和仙女们一起在银河里洗澡。牛郎是人间的一个贫苦的孤儿,他的哥哥和嫂子对他很不好。一天,他的老牛突然对他说:“明天织女要到银河里洗澡,如果你能拿到她的衣服,就可以娶她为妻。”第二天,牛郎听从老牛的话,悄悄拿了织女的衣裳。牛郎对织女说:“要是你答应做我的妻子,我就把衣服还给你。”织女早就知道牛郎是一个勤劳善良的小伙子,便答应了他的求婚。

他俩结婚后生活得非常幸福。后来,王母娘娘发现了这件事,派天兵把织女捉拿上天。牛郎忙去追赶,狠心的王母娘娘用天河来阻挡牛郎前进。牛郎织女只好隔河相望。后来王母娘娘允许他们在每年的七月七日见一次面。

生 词

牛郎织女	Niúláng Zhīnǚ	the Cowherd and the Weaving-maid (Chinese legend)
孤儿	gū'ér	orphan
阻挡	zǔdǎng	stop, obstruct
狠心	hěnxīn	cruel
王母娘娘	Wángmǔ niángniang	the Lady Queen Mother (character from Chinese legend)
隔	gé	stand or lie between, separate
允许	yǔnxǔ	allow

说 明

一、汉语的基本成分以及它们在句子中的位置

汉语句子有六种成分:主语、谓语、宾语、定语、状语和补语。它们的基本排列如下表:

主语部分		谓语部分				
(定语)	主语	(状语)	谓语	(补语)	(定语)	宾语
	狼		来了!			
	牛郎		听从		老牛的	话。
	他俩	结婚后	生活得	很幸福。		
我的	朋友	每天	打	两次		太极拳。
放羊的	孩子	拼命	喊。			
这条	路		高低不平。			

二、汉语常用的标点符号

1. 逗号(,)

逗号表示句子内部的一般性的停顿。有的表示单句里边的停顿;有的表示复句里边分句之间的停顿。例如:

(1)对这个问题,有人有不同的看法。

(2)我一直想去看他,可是不知道他的新地址。

(3)于是他再也不去田地劳动了,每天只是守在树根旁边,等着兔子到来。

2. 句号(。)

表示陈述句末尾的停顿。例如：

(1)我不知道你的电话号码。

(2)他在朋友的帮助下，终于又回到了家乡。

(3)于是，这人再也答不上话来了。

3.问号（？）

用在疑问句末尾，也包括特殊的疑问句、反问句。例如：

(1)你今天去不去医院？

(2)你是哪国人？

(3)你怎么连这个字也不会写呢？

(4)这时，一个在旁边看热闹的人问他："要是拿你的矛，刺你的盾牌，结果会怎样？"

4.顿号（、）

用来表示句子内部并列词语之间的停顿。例如：

(1)这件事使胖和尚、瘦和尚和小和尚都受到了教育。

(2)我一到北京就去了天安门、故宫和颐和园。

(3)我这次来中国的目的是学习汉语、游览名城、搜集论文材料。

5.叹号（！）

用在感叹句末尾。例如：

(1)我多么想念家乡的亲人啊！

(2)这真是令人难忘的美好时刻！

也可以用在祈使句的末尾。例如：

(3)快去打电话报警！

(4)别动！

6.分号（；）

用来表示复句内部并列分句之间的停顿。例如：

(1)如果你先到达约定地点，就给他的办公室打个电话；如果他先到那儿，他就会到入口处等你。

(2)农民又急急忙忙地赶到山上，他们发现这个孩子又在骗他们，都非常生气；而这个放羊的孩子觉得挺好玩，一点儿也不在乎。

7.冒号（：）

用在提示性话语的后面，用来提起下文。例如：

(1)展览会时间：1996年4月5日—5月4日

(2)今天我打算讲以下三个问题：第一……

8.引号（" "）

用来标明直接引用的话或标明具有特殊含义的词语。例如：

(1)孔子说："三人行，必有我师。"

(2)异国他乡，我们这些"老外"语言不通，真有点紧张。

(3)这种只顾"自家人"的做法，未免有些"小家子气"。

9.省略号（……）

标明行文中省略了的话。例如：

(1)我小时候最爱念的童谣是"小老鼠，上灯台，偷油吃，下不来……"

(2)他用这架小小的照相机照下了许多美丽的风景名胜，像杭州西湖、苏州的园林、大同的云冈石窟……

10、书名号(《 》)

标明书名、篇名、报刊名等。例如：

(1)《三国演义》是我最喜欢的一部古典小说。

(2)《中国教育报》的订户大部分是教育工作者。

(3)《关于留学生入学的规定》已经寄给各地的申请人了。

课堂练习

一、用所给的词语组句,注意语序

例:每天 我 晚上 录音 半 听 个 小时

组句:我每天晚上听半个小时录音。

1.朋友 跟 一起 操场 我 足球 踢 去

2.老师 我们 唱歌 中国 教 首 几 请

3.同学 个 从 欧洲 的 来 生日 过 今天 那

4.她 整整 还 看 完 这 书 本 三天 没 了

5.人民大学 语言学院 骑 从 自行车 公共汽车 到 坐 比 方便

6.急急忙忙 教室 进 跑 了 来 他

7.人 在 跑 我 同学 的 小学 前面 是

8.问题 班 同学 一起 讨论 我们 的 在 汉语 语法

9.被 撞 位 倒 自行车 那 了 行人

10.地 生气 书 放 桌子 到 上 走 了 她 把 就

11.你 请 明天 笔记本 带 把 来

12.生日 天 她 朋友 鲜花 那 送 的 过 一束

二、给下列段落加上标点符号

1.昨天下午我从王府井坐车回学校( )上了一辆拥挤的公共汽车( )一位老人焦急地说( )我的东西落(là)在站台上了( )刚刚开动的汽车停了下来( )老人边下车边对售票员说( )您先走吧( )我等下一趟车( )售票员微笑着回答( )您快去拿东西吧( )我们等你( )那位老人快步取回了东西( )她对车厢里的乘客们抱歉地说( )耽误大家的时间了( )真对不起( )有人对她会心地笑了笑( )有人赶紧给她让座( )

2.星期天早上我睡得正香( )突然电话铃响起来了( )是我的女朋友小张( )她约我一块儿出去划船( )我说( )昨天晚上因为看足球( )我很晚才睡觉( )咱们下午去怎么样( )她说( )这么好的天气( )怎么能待在家里呢( )你还是下午再睡觉吧( )半个小时以后,我在你们学校门口等你( )咱们不见不散( )说完她就挂上了电话( )真没办法( )我只好放弃在床上的( )享受( )了( )

三、改正下列句子中用错的标点符号

1.我不知道那个人是不是她姐姐?

2.他才学了三个月的汉语,就能很流利地用汉语谈话了,真了不起啊。

3.这是一座巨大的,古老的,美丽的古代建筑。

4.我欢笑,回声也欢笑,我哭泣,回声也哭泣,我唱起山歌,回声也唱起山歌。

5.你为什么一直不给我写信。

6.小王告诉我:“他的哥哥在西安上大学,今年就要毕业了。”他还问我:“去没去过西安。”

作文练习

听老师讲完后,用200—300字左右把主要内容写下来。要求故事内容完整,标点符号正确。

一、温和友善的力量

词语提示

温和	wēnhé	gentle
友善	yǒushàn	friendly
裹	guǒ	wrap up

一天,太阳和风争论谁比较强壮,风说:“当然是我。你看下面那位穿着外套的老人,我一定可以比你更快地让他把外套脱下来。”说着,风便用力对着老人吹,希望把老人的大衣吹下来。但是它越吹,老人把大衣裹得越紧。

后来风吹累了,太阳便从云后走出来,暖洋洋地照在老人身上。没多久,老人就开始擦汗并且把外套脱下。太阳于是对风说,温和友善的力量永远是强大的。

二、守株待兔

词语提示

守株待兔	shǒuzhū-dàitù	guard a tree trunk to wait for a rabbit
折断	zhéduàn	break
比喻	bǐyù	draw an analogy

从前有一个农夫,每天他都要在地里辛苦地工作。有一天,他正在田里工作的时候,突然看见一只兔子从田里飞快地跑过,一头撞在树根上,折断了脖子死了。这个农夫赶紧扔掉

农具,跑到树下,很高兴地把兔子捡起来。他非常得意地想,这真是件幸运的事,我没有费任何力气,却得到了一只兔子。

于是他再也不去田里劳动了,每天只是守在树根旁边,等着兔子到来。他的田里长满了草,种的庄稼都死了。可是,一天又一天过去了,再也没有兔子撞死在这儿了。

以后,人们用"守株待兔"来比喻那种希望不经过努力就能得到意外收获的侥幸心理。

三、自相矛盾

词语提示

自相矛盾	zìxiāng-máodùn	mutually contradictory
长矛	chángmáo	spear
盾牌	dùnpái	shield
吹嘘	chuīxū	boast
刺	cì	penetrate

从前,有个人来到集市上卖他的长矛和盾牌。他先举起他的盾牌,说自己盾牌很坚固:"不管什么东西都不能刺穿我这块盾牌。"后来,他又拿起自己的长矛吹嘘说:"我的长矛非常锋利,不管多么坚固的东西都能刺穿。"

这时,一个在旁边看热闹的人问他:"要是拿你的矛,刺你的盾牌,结果会怎样?"于是,这人再也答不上话来了。

以后,人们就把夸大事实,或编造谎言,使自己的话前后意思不相符合的情况,称为"自相矛盾"。

四、父子抬驴

词语提示

抬	tái	carry
驴	lǘ	donkey

集市	jíshì	market
傻	shǎ	stupid
捆	kǔn	tie up

有一个老人和他的儿子赶着一头驴到集市上去卖，没走多远，遇到一群姑娘。其中一个姑娘说："看，这两个人真傻，有驴不骑，倒要走路。"老人听到这句话，就让儿子骑在驴上。过了一会儿，遇到一位老大爷，老大爷说："这个年轻人，对老人太不尊敬，老人走路，而年轻人却骑驴！"于是，父亲又叫儿子下来，自己骑了上去。又走了一会儿，前面来了一个妇女，她说："你这个爸爸真狠心，自己骑在驴上，而让这个可怜的孩子跟在驴后面走路。"老人只好把他的儿子也拉上了驴，两人一起骑在驴上。走不远，一个行人说："两个人骑在一头驴上，它怎么受得了？"这下老人可太为难了，他只好把驴腿捆起来，跟儿子一起抬着驴。驴子可不愿意了，他们走过一座桥的时候，正好驴子挣脱了绳子，父子俩和那头驴一起掉到河里去了。

第 二 课

训练重点

1. 写各种便条
2. 量词的运用
3. 定语的运用

一、请假条

王老师：

今天我因感冒发烧不能去上课，请您准假一天。

此致

敬礼！

三班学生马佳娜

1996 年 3 月 2 号

刘经理：

我母亲今天突然患病，我要送她去医院治疗，不能参加今天下午公司的会议，特请假半天。

此致

敬礼！

江时良

1996 年 12 月 7 日

张教授：

我昨天晚上得到消息，我的一位外国朋友今天到京。她不会说汉语，我要去机场接她，所以不能参加系里组织的学术讨论会，请谅解。

此致

敬礼！

李　艳

1997年4月4日

二、留言条

张小东：

班主任王老师请你今天下午5点之前去办公室，取回你这个学期的成绩单。

张　名

1996.6.15

王朝：

今天下午中文系排球队练习，请你2:30到操场东边的排球场参加训练。

刘大量

1996.2.15

安娜：

你语言文化大学的朋友林达来电话，她明天回国，请你今天给她打电话，电话号码：62563399。

安藤朋子

1997.6.10

小萌：

我今天有会，要晚点儿回家，你回家后，去副食店买一瓶酱油，一袋面包和两斤鸡蛋。

妈妈

即日

刘真：

听说你明天要去上海出差，请帮我买一套上海美术书社今年出版的《上海博物馆藏品图册》。

另：明天你的行李多吗？要不要我送你去机场？需要的话，给我来个电话，号码：6789021。

山　青

1997年7月3日

说　明

一、便条

最常用的便条有请假条和留言条。便条不拘泥格式，一般开头顶格写对方名称，打上冒号。第二行空两格写正文。最后在右下方写上自己的名字和日期。

请假条要求简要说明请假原因以及请假时间。

一般留言条是我们在日常生活中，给同事、同学、邻居、朋友、家里人留言，简要说明一些事情。要求语言简明，字迹清楚。

二、量词

汉语量词可以分为两类，名量词和动量词。名量词非常丰富，常常和数词组成数量词组充当定语。在写作中，应该注意选择。

例如：

(1)一阵风

(2)一座大山

(3)一台电视机

(4)一套西服

(5)一架照相机

(6)一部电影

(7)一出话剧

动量词表示动作的单位，为数不多，主要有：次、遍、趟、回等。例如：

(1)早上他去了一趟朋友家。

(2)这本书我看了三遍。

(3)她打来了几次电话。

三、定语

定语修饰名词性成分的词语，在句中修饰主语和宾语，被修饰的成分为中心语，定语一定要放在中心语前面。

例如：

(1)你的行李

(2)图书馆的藏书

(3)汉语课

(4)一本体育杂志

(5)美丽的鲜花

(6)看书的人

(7)上个星期妈妈买的毛衣

复杂定语的一般语序如下：

表示领属关系的名词、代词、指示代词、数量词组、表示修饰关系的词语、中心语

例如：

(1)我的那三个老同学。

(2)妈妈的这两张年轻时的照片。

(3)他们的这些好成绩是在教练的严格训练下取得的。

课堂练习

一、如果你要单独去荒岛生活一个月，你将带哪些必需品？请列出12种，要求有量词和其他定语

例如：

(1)一套新版的《莎士比亚全集》

(2)一台日本生产的彩色电视机

二、列一张购物单，写出你要准备一个生日晚会需采购的各类物品

例如：

(1)一块大蛋糕

(2)20瓶汽水

(3)10个彩色气球

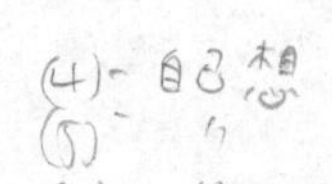

三、将下列每组句子合并成一个句子

例如：

我认识一位服务员。

她对顾客十分热情周到。

我认识一位对顾客十分热情周到的服务员。

1. 我买了一张足球票。

这张足球票是明天晚上七点的。

2. 这场杂技是北京杂技团表演的。

杂技节目精彩极了。

3. 两年前我在北京第一次见到他。

那时候他已经是一个出色的翻译了。

4. 老师借给我一本语法书。

这本语法书对我的学习很有帮助。

5. 我晚上要去飞机场接我的一个朋友。

那位朋友在东京外国语学院学习汉语。

四、改正下列错句

1. 我终于回到了美丽的我的家乡。
2. 日本三个我的朋友明天来看我。
3. 他的照相机是妈妈买的在日本。
4. 我今天进城跟妹妹买了生日的礼物。
5. 我想买红色的那件衣服,请帮我拿一下,好吗?
6. 他昨天进城买到日汉词典很有用。

作文练习

根据下面的提示写各种便条

1. 你要去旅行,请你的朋友帮你看家,写一个留言条,告诉他一些你认为重要的事,如按时订报纸、交牛奶费、浇花、喂金鱼等。
2. 你朋友要去外地,你托他在那儿帮你办事,如买东西、看朋友。
3. 你想请朋友一家到你的家里作客,在他的信箱里留一个条。
4. 给你的姐姐写一留言条,告诉她你下午的计划,并约她晚上跟你在某处见面。
6. 你生病了,给你的任课老师写一张请假条。

第 三 课

训练重点

1. 看图记事
2. 组句成段
3. 状语的运用

一、池边的等待

有一天傍晚，小王手里拿着一束鲜花，安静地坐在公园的长椅上，等待着他的女朋友小刘。他们是一个月前在一次舞会上认识并相爱的，两人工作的地方相隔比较远，可他们每个星期都要约会一次。小王低头看了看手表，他已经等了半个小时了，怎么小刘还没来？她可从来没有失约呀！他有点儿着急了，心神不定在长椅旁边走来走去。“也许她不爱我了，说不定早把约会的事忘了！”想到这里，他又生气又难过，把鲜花扔进水池中，伤心地蹲在地上哭起来。想到小刘这么负心，他生气地大喊大叫。可是，不一会儿，他猛然想到，也许她误了车，也许她临时有事耽误了时间，也许……于是，他赶紧跳进水池中，把那束鲜花捞起来，又坐在长椅上继续等待他的心上人。最后……

生 词

池	chí	pond
蹲	dūn	squat down
负心	fùxīn	be fickle, fail to be loyal to one's love
捞	lāo	drag for

爱的波折　　　　徐鹏飞

（选自《当代中国漫画集》）

二、报告迷

老李是个报告迷，平时最喜欢在大会、小会上作报告。这一天白天，老李没找到作报告的机会，到了晚上，他躺在床上怎么也睡不着。他先数数，可单调的数字一点儿也不起作用。他想了想，又拿起装着安眠药的药瓶，往嘴里倒了几片安眠药，可还是没有睡意。怎么办呢？老李在床上翻来覆去，抬头看了看床前的挂钟，已经是半夜两点了！他干脆穿上衣服，穿上鞋，拿起公文包，走到书桌前，面对自己想像中的听众起劲地作起报告来。一个小时以后，老李终于作完了报告，他轻松地回到床上。不一会儿，他就心满意足地睡着了。

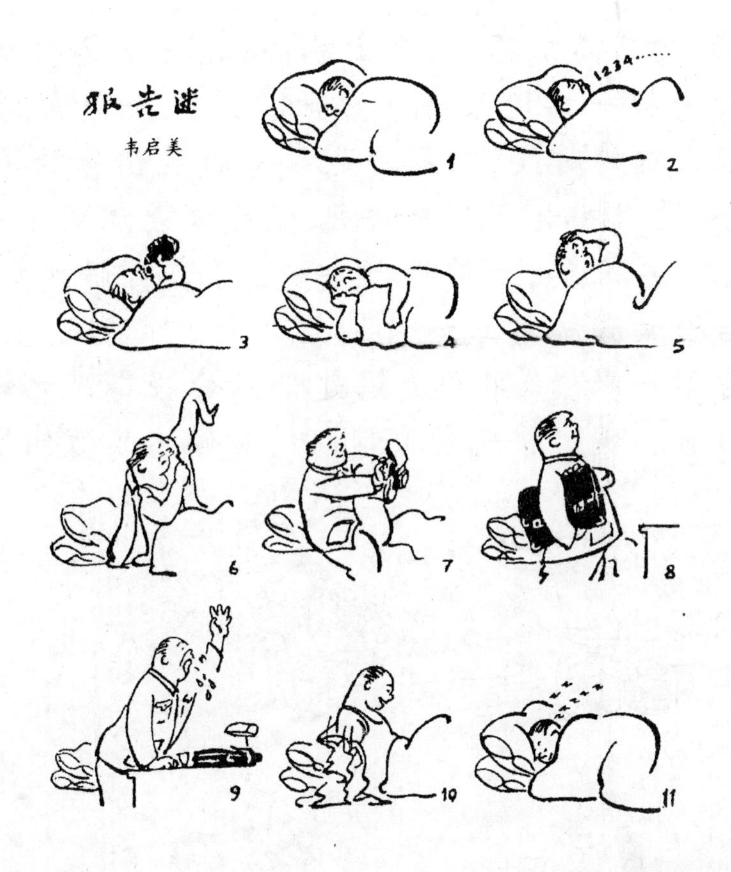

（选自《当代中国漫画集》）

生　词

迷	mí	fan, fiend
单调	dāndiào	monotonous
安眠药	ānmiányào	sleeping pill
翻来覆去	fānlái-fùqù	toss and turn
干脆	gāncuì	simply
想像	xiǎngxiàng	imagination
起劲	qǐjìn	energetically
心满意足	xīnmǎn-yìzú	satisfied

三、健忘症

今天星期天，王先生打算包饺子吃。吃过早饭，他挎着菜篮子出门了。他一边锁门，一边数着要买的东西：白菜、大葱、姜、肉……副食店离家不远，走出胡同，过一条马路就到了。王先生把东西一样一样地买齐了。他提着篮子匆匆忙忙地往家走。快到家门口的时候，他习惯地往平时装钥匙的裤兜里掏钥匙，咦？钥匙没在裤兜里！他把所有的口袋都找了一遍，也没有找到。他又累又急，一边擦汗，一边自言自语地说："我的钥匙呢？"邻居小女孩林林正好奇地看着他，听了王先生的话，林林朝门锁看了一眼。"那不是钥匙吗？"她兴奋地喊起来，把王先生拉到门前。噢！原来老王锁门的时候忘了拔钥匙。

健忘症　　张乐平

（选自《当代中国漫画集》）

生　词

健忘症	jiànwàngzhèng	amnesia
挎	kuà	carry on the arm

大葱	dàcōng	Chinese onion
姜	jiāng	ginger
裤兜	kùdōu	trouser pocket
自言自语	zìyán-zìyǔ	talk to oneself

说　明

一、状语

1.状语是修饰、限制动词、形容词的词语,在句中是谓语部分的修饰成分,被修饰的词语为中心语。状语可以表示中心语的时间、处所、程度情态等等。状语一定要放在中心语前面。

根据状语的功能,可以把它分为两类:限制性状语和描写性状语。限制性状语主要从时间、处所、范围、对象、目的等方面对中心语加以限制。描写性状语则描写动作或动作者的方式、情态。限制性状语后一般不能加“地”;而描写性的状语后经常要加“地”。

例如:

(1)早上差10分7点,小三的闹钟就响起来了。(表示时间)

(2)他们是在一次舞会上认识并相爱的。(表示处所)

(3)我们给他打了几次电话。(表示对象)

(4)王先生特别着急。(表示程度)

(5)她兴奋地喊起来了。(描写动作者的情态)

(6)王先生把东西一样一样地买齐了。(描写动作的方式)

2.复杂状语的排列顺序:一个句子里有时出现几个词或词组共同修饰谓语,这些并用的词语一般按下列顺序排列:

表示时间的词语—表示地点的词语—表示范围的词语—表示情态或方式的词语—表示对象、工具、方向等的词语—中心语(动词或形容词谓语)

例如:

(1)我们上个星期在教室认真讨论了这件事。

(2)弟弟在机场兴奋地对我说:“这里的变化太大了!”

(3)他从去年就在这个学校跟他的导师一起作这项调查。

二、句子之间的连接

成段表示不但要注意句子的语法,还要注意叙事的条理顺序以及句子之间的自然衔接。下列词语,在表示中起着使句子或语段之间语义连贯、关系明确的作用。

1.“有一天……”在叙事中,常用于提起某件事情的起因,例如:

(1)有一天,我遇见了一个多年不见的老朋友……

(2)有一天,一个伙子在公园等他的朋友……

2.……时;……时候

(1)我读中学时,常常跟妈妈一起去外婆家。

(2)小时候,我希望自己赶快长大。

(3)我刚参加工作的时候,总是很羡慕那些工作经验丰富的人。

3.原来/本来……现在……;原来/本来……后来……

(1)原来我不喜欢看话剧,现在,我开始对话剧感兴趣了。

(2)原来他在一家电脑公司工作,后来,他决定回学校继续读研究生。

4.于是

(1)我用这种方法练习没有什么效果,于是,我就改变了练习方法。

(2)我打了几次电话给他都没有打通,于是,我给他寄了一封信。

5.一……就……

(1)他一看见老张,就高兴地上前打招呼。

(2)一听到上课铃声,我们就赶紧走进教室。

6.最后

(1)……最后他终于等到了他的朋友。

(2)……最后他们消除了误解。

7.终于

(1)经过一年的努力,他终于取得了很好的成绩。

(2)我们终于明白了这个词的用法。

(3)换了好几次车,我们终于到达了目的地。

课堂练习

一、注意下列句子中的状语并模仿造句

1.我明天早上八点在校门口等你。

2.我的朋友从伦敦来到这座城市。

3.我特别喜欢跳舞。

4.莎拉上写作课的时候经常迟到。

5.你对这个问题有什么看法?

6.李老师跟他的学生一起一步一步往山顶上走。

7.二班同学在教室里热烈地讨论着汉语语法问题。

8.昨天晚上我舒舒服服地睡了一觉。

9.我们终于按时到达了目的地。

10.在旅途中他一直精心照顾我。

二、改正下列病句,注意定、状语的位置和顺序

1.我认为有的他们的观点不对。

2.暑假我去了一座小南方的城市,那里有名胜古迹很多。

3.一个人民大学的留学生叫山本地获得了汉语竞赛第一名。

4.我想借一本杂志关于体育的。

5.坐在那儿的是三个我的外国朋友。

6.去长城的同学请在学校大门口明天早上八点集合。

7.如果你告诉我到达北京的时间,就我一定去车站接你们。

8.他从澳大利亚刚刚昨天来到北京。

三、把下列句子连成一段话,注意连接词语的作用,并正确使用标点符号

1.我的志向

(1)念中学时，我觉得做伟人太辛苦了
(2)现在我知道做伟人妻子的机会实在太少
(3)一个学生问他的老师
(4)于是就把志向改成做伟人的妻子
(5)你为什么选择教师这个职业
(6)所以我又改变主意
(7)我小时候立志长大以后做伟人
(8)最后决定做伟人的老师
(9)老师笑着回答

2. 换表还是换秘书
(1)有一天，秘书迟到了
(2)华盛顿轻声对他说
(3)秘书就对华盛顿说自己的手表坏了
(4)华盛顿总统有一个年轻的秘书
(5)我就得换一个秘书了
(6)一看到华盛顿在等他
(7)如果你不换一块手表的话

3. 翻车了
(1)但是他把报纸拿倒了
(2)火车轮子都向上，翻车了
(3)然后作出看报的样子
(4)看报的人一本正经地说
(5)先生，报纸上有什么新闻呀
(6)一位老人开玩笑地问
(7)你看，一定出现交通事故了
(8)有一天，一个目不识丁的人买了一张报纸

三、分成3—4人小组活动

1. 每人选择所给的题目说一段话，注意运用恰当词语，使句子之间关系明确、衔接自然。
(1)在商店挑选礼物
(2)在饭馆点菜
(3)在机场接朋友
(4)生活中的一个小插曲(突然停了电、忘了带钥匙等)

例1：路遇

有一天我去王府井百货大楼去买去西，一进门就听见有人叫我的名字。我回头一看，原来是我大学时的同学。他说现在他在上海工作，昨天来北京出差，他没有我的电话号码，所以没有给我打电话。

例2：起床

我最害怕的是冬天的早上起床。我的闹钟一响，我就用毯子蒙着头。每天8点开始上课，我总是到差10分8点，才急忙起床，然后穿衣服，可是我总是找不到我要的东西，最后只好穿着两只不一样的袜子去教室。

例3：尴尬事

一天，我路过一家商场，那里正在展销丝绸。我进去找了半天也没有看到我想买的旗袍。突然我看到不远的地方，有一个高个子的模特，笔直地站立在那儿，穿的正是我想买的旗袍。于是我赶快挤到模特身旁，伸手就去摸旗袍的质量如何。“同志，别乱摸。”突然，“模特”说话了。我这才看清那个“模特”原来是站在高台上的售货员。

2.用100—200字记述小组中某人的发言。

作文练习

1.看图写故事，注意状语的使用和句子之间的衔接。

(1)雷打不动(选自《当代中国漫画集》，作者苗地)

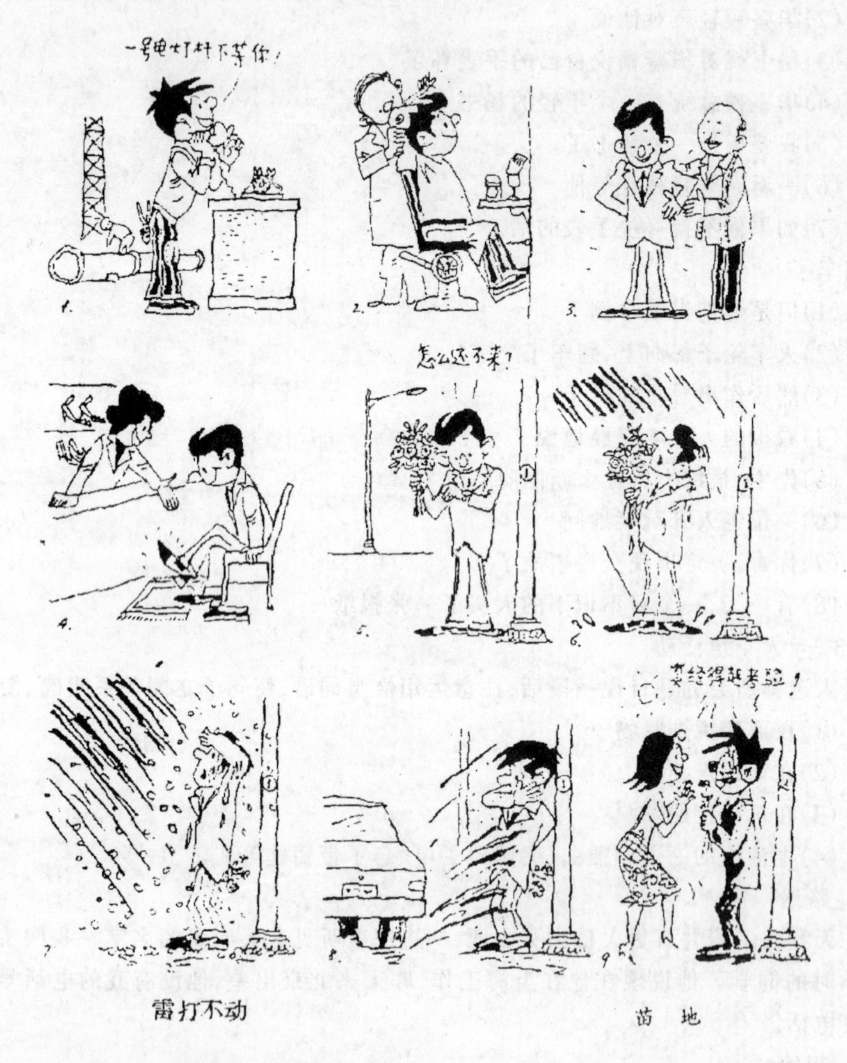

雷打不动　　　　苗地

(2)久别重逢(选自《当代中国漫画集》,作者张乐平)

(3)看报

看　报　　　朱森林

2.描述自己的一张生活照。介绍照片上的人物及当时的情境。例如:“我的生日晚会”“我和妈妈一起做饭”“我在学习”等。

第 四 课

训练重点

写各种启事和海报

范　　文

一、各种启事

1.遗失启事：

寻物启事

因本人不慎，昨天下午在操场丢失红色运动衣一件。拾到者请与留学生楼615号房间山口裕子联系。电话：67845150转387。非常感谢！

失者：山口裕子

1996.7.9

遗失启事

本人不慎，9月23日晚在电影院看电影时遗失黑色公文包一个，内有手提电话一台，合同文本一份，请拾到者与北京大利摩托车厂财务处联系，电话号码：65432143。谨致谢意！

启事人：王小利

1997年9月24日

2.招领启事：

失物招领

昨天在校医院挂号处旁边的长椅上拾到一个笔记本，请失者到学3楼512号房间来认领。

李　文

1997年2月15日

招领启事

我们在留学生楼服务台拾到钱包一个，内有旅行支票两张，美元若干，请失者前来认领。

留学生办公室

韩　林

1996年12月20日

生　词

遗失	yíshī	lose
启事	qǐshì	notice, announcement
不慎	búshèn	careless
公文包	gōngwénbāo	briefcase
合同	hétong	contract
文本	wénběn	text, document
谨致谢意	jǐnzhì-xièyì	with sincere thanks
招领	zhāolǐng	(of a notice) Found

二、海　报

电影海报

星期六(5月4日)晚7点在学校礼堂放映国产故事片《雷雨》，欢迎全校师生前往观看。

校学生会

1996年4月29日

球　讯

明天(3月3日)下午4:30留学生篮球队跟夺得全校比赛冠军的哲学系篮球队在东边篮球场举行友谊比赛,欢迎大家观看助兴。

学生会体育部
1996年3月2日

学术报告会

题　目:当代中国的经济发展趋势
主讲人:中国社会科学院研究员　钱为
时　间:1996年4月8日下午2:30
地　点:教三楼584教室
欢迎广大师生积极参加。

国际经济系
1996年4月4日

博士论文答辩

题　目:中国当代哲学思潮
答辩人:刘立
导　师:张杰
时　间:1996年3月5日下午2:30
地　点:教学一楼604教室

研究生院
1996年3月1日

生　词

海报	hǎibào	announcement, playbill
球讯	qiúxùn	sports information, match news
助兴	zhùxìng	join in the fun, add to the fun
趋势	qūshì	trend, tendency
主讲人	zhǔjiǎngrén	speaker

答辩	dábiàn	viva, reply in support of one's own ideas
思潮	sīcháo	(thought) trend
导师	dǎoshī	tutor, teacher

说　明

一、启事

启事根据它的内容有遗失启事、招领启事、招聘启事、开业启事等。写启事都要注意：1.标题醒目；2.内容简洁；3.要写明启事者的姓名与时间。

遗失启事要交待清楚自己丢失的东西的名称、数量以及各种特征；还应该说明自己丢失的大致的时间、地点。

招领启事是通知遗失钱物者前来认领的启事，这种启事只需写明招领物品的名称，不必介绍物品的数量、特征等具体情况。但应该说明自己的联系地点或电话，以便失主前去认领。

二、海报

海报向大家预告戏剧、电影、体育活动、文艺活动、学术活动的消息。它是一种招贴文字，要求如下：

1.标题醒目，有的可以点明活动内容，如：球讯、电影海报等。

2.正文交待活动的内容、时间、地点、方式和注意事项。

3.最后写明举办单位和时间。

三、启事、海报常用语句

1.因本人不慎：意思是“由于我自己不小心”，常用于遗失启事的开头。

2.请失者前来认领：常用作招领启事的结束句。“失者”指丢东西的人。

3.钱包一个/录音机一个/羽绒服一件：在这类启事中经常把数量词定语放在中心语后面。如：毛衣一件；词典一本等。

4.人民币若干元/支票若干张/：常用于招领启事。“若干”表示不定的数量，后面可以跟量词。

5.本人万分感激：常用作遗失启事的结束句。

6.欢迎大家前来助兴/欢迎各位同学踊跃参加：常用于海报的结束句，表示希望大家来观看或参加此项活动。

课堂练习

一、根据下列内容写遗失启事

1.你丢失了一个笔记本，里面记录的是你复习考试的内容，你非常着急。

2.你的朋友遗失了一个旅行包，他不会汉语，请你帮他写一个遗失启事。

二、根据下列内容写招领启事

1.你昨晚最后离开教室时，看到旁边的椅子上有一把雨伞，你带回了宿舍，希望物主来你的宿舍认领。

2. 你在食堂的餐桌上看见一本参考书，书里还夹着这个周末的京剧票，你急于找到失主。

三、根据下列内容出海报

1. 你所在的系有一个学术报告会，预告这个消息，使更多的人来听这个报告。
2. 学生会举办青年节舞会，邀请同学们来参加。
3. 人民艺术剧院要来学校表演他们新排的话剧，出一则海报通知大家。
4. 高校大学生文艺汇演将要举行，各个高校将选出精彩节目参加表演，通知大家去观看，可以点出一两个受大家欢迎的学生歌手，以便引起人们的兴趣。

第二单元

第五课

训练重点

1. 记叙旅游见闻
2. 动态助词“着”、“了”、“过”的运用

一、访德二三事

去年底，赴德国经济研究中心参加培训，所遇二三事，至今想起来仍难以忘怀。

在巴黎戴高乐机场转机等候时，看到办理登机卡的台前，一位年轻的母亲怀里抱着婴儿，面前放着四五个大包行李等候托运。这位母亲用机票换完登机卡后，就在一旁逗着怀里的孩子，而办理登机的是位小伙子，很快从台后走上来，把这位女士的行李一件件放到运输带上。另外一个工作台的中年同事看见，也过来帮忙，两个人又一起把婴儿车折叠好，也放在运输带上托运了，母亲临走时只是说了句道谢的话，一切都那么自然、平常。登机者心安理得地接受服务，服务者不讲二话，令我这旁观者见了觉得十分亲切。

一次，我们在法兰克福邮政博物馆参观，因为是星期天，来参观的中小学生比较多。在这里，我看见一位中年父亲，用手牵着双目失明的儿子，也来到博物馆参观。在展厅柔和的灯光下，父亲轻声细语地向孩子介绍着各类通讯电器展品，并不时引导他用手去触摸展品。儿子不时地仰头向父亲询问，然后又低下头认真听着父亲的介绍，脸上不时露出心领神会的笑容。

这一幕,深深打动了我。

在科隆,两位异国的年轻人在餐馆里点的菜没有吃完,当他们站起身来要走的时候,临桌的一位素不相识的老者拦住了他们,问他们为什么剩下这么多的菜。在这位老者的干预下,两位年轻人只好“打包”,然后满脸通红地离去。

这些看似很平常的事,却从不同的侧面反映了德国国民的道德修养。走马观花看德国,我觉得有不少值得我们学习和提倡的事物。

(节选自《北京晚报》,作者刘悦。)

生　词

赴	fù	go to
培训	péixùn	training
难以	nányǐ	difficult to
忘怀	wànghuái	forget,dismiss from one's mind
逗	dòu	play with a child
婴儿	yīng'ér	baby
折叠	zhédié	fold
心安理得	xīn'ān-lǐdé	feel at ease and justified
不讲二话	bùjiǎng-èrhuà	not think twice,not demur
轻声细语	qīngshēng-xìyǔ	speak softly,whisper
心领神会	xīnlǐng-shénhuì	understanding
干预	gānyù	intervention;interfere
走马观花	zǒumǎ-guānhuā	fleeting view;take a brief look at

二、难忘的西安

提示:这篇短文通过作者在西安生活的小事,看仿唐乐舞、和朋友的交往以及购物遭遇等,表现这座城市在自己心目中留下的美好印象,语言简洁自然。

我是一个德国人,虽然以前没来过中国,但早就对中国感兴趣,所以十年如一日地学习汉语。我很想到中国看看,去年这个梦想实现了。

8月底我到了西安,有机会在西安外国语学院学习汉语。在这四个半月的时间,我经历了有生以来没有经历过的事情。

9月的一个晚上,我们留学生应邀到西安人民大厦的剧场看仿唐乐舞。我没有想到剧场的规模那么大,能容纳1000多观众。而观众里面有那么多外国人。仿唐乐舞就是仿效唐代的音乐和舞蹈。行头五光十色,非常漂亮。这些传统乐器如笛子、二胡、琵琶、笙和古筝对我来说并不陌生,因为我在德国已经听过中国音乐。但是亲眼看着中国人坐在那里入神地表演还是第一次。

中国和德国,这两个国家的制度和很多事情截然不同。我在西安市举目无亲,可是很快交了朋友,我就不那么想家了。在外国语学院我认识了一个残疾人,他尽管身体不方便,却时时刻刻愿意帮助我,别的乐于助人的健康人当然就更多了。我和朋友还去过小寨那儿吃饭,我们品尝了各种西安的风味小吃,如各种各样的面条、饺子等等。

买东西的时候能看出来是国营还是私营的商店。有一天我在书店想买书,我要售货员给我拿一本书,她把书扔到柜台上。我觉得这种态度对顾客很不礼貌。但在私营的店里,无论是对中国人还是对老外,售货员一般都挺有礼貌。

腾·罗兰德(德国)

生 词

仿唐乐舞	fǎng Táng yuèwǔ	Tang-style music and dance
容纳	róngnà	hold, accommodate
笙	shēng	*sheng*, a reed pipe wind instrument
古筝	gǔzhēng	*zheng*, a 21 or 25 stringed plucked instrument like a zither
入神	rùshén	be deeply absorbed in; superb
截然不同	jiérán-bùtóng	entirely different

三、北京的冬天

提示:这篇短文通过对北京街头景色的传神描写,“铅灰色的天”、“冰冷的路”和“臃肿”的行人,以及烤羊肉串、糖葫芦等,表现出北京冬天的可爱之处。

我叫井上,1992年从日本来到中国。我知道要学好中文,要多跟中国人接触,所以我常常上街。

秋天的北京天气很好,行人穿着轻便的衣服,青年男女手拉着手上街。但是很快就到冬天了。日本仿佛不曾这样冷。铅灰色的天,冰冷的路,呼呼的风,行人穿着厚厚的冬衣,显得很臃肿。外边的行人都缩手缩脚。我虽然爱上街,但大风降温的几天,我还是困在屋里了。听说中国有句俗话:"腊七腊八,冻死鸡鸭",真是不假。我很同情那些恋爱中的年轻人。常见他们在汽车站的站牌下依偎着,或是在冰天雪地里缓缓而行。这样的严寒,鸡鸭都活不了,可他们的爱情还活着,可见中国人极重感情。我心里想,能经得住这样寒冷的冬天的爱情多么……冬天在北京的街上看到赏心悦目的糖葫芦、山药,心情好极了。天气很冷的时候,一看到卖烤羊肉串的新疆人就振奋了许多。红红的火苗,黑黑的木炭。三毛钱一串,很香很香。几乎每次上街我都要吃。朋友们说北京的秋天最好,其次是春天和夏天。可我一个人漫步在北京的街头,觉得冬天也很不错。

生 词

铅灰	qiānhuī	lead gray, leaden
臃肿	yōngzhǒng	bloated
缩手缩脚	suōshǒu-suōjiǎo	shrink with cold
腊七腊八,	làqī-làbā	on the 7th and 8th days of the twelfth lunar month
冻死鸡鸭	dòngsǐ-jīyā	even chickens and ducks freeze to death
依偎	yīwēi	snuggle up to, lean close to
赏心悦目	shǎngxīn-yuèmù	be pleasant to look at
糖葫芦	tánghúlu	sugar-coated haws on a stick
山药	shānyào	Chinese yam

四、看望"姥姥"——河北乡村之行

去年冬天,我的一个中国朋友对我说她要去河北乡下看望姥姥。我问:"你姥姥怎么在河北?""她本来就是河北人,20多年前来到我家。在我高中毕业那年,她坚持要回老家住,我们怎么劝也不听。她说,还是老地方好。"我不禁对姥姥和她住的地方产生了兴趣，便要求朋友带我一块儿去。朋友说："不行，那个地方很穷，条件很差，你会不习惯的。"后来，见我态度坚决，也就答应了。

第二天，我们坐上了去河北容城的长途汽车。汽车开出了京郊，高楼大厦慢慢看不见了，映入眼帘的是农村景色，宽阔的田野一眼望不到边。汽车在一个路口停了下来，我和朋友都下了车。她用手指着前方："看，就在那儿。"我顺着她指的方向看去，几里开外，隐隐约约有一个小村庄。我们只能走过去。在这么冷的天，我们走在没有人烟的乡村小路上。走到村口时，我仔细看这个小村庄：低矮的平房，土砖砌的墙，北风把麦秸吹得遍地都是。

最后，我们绕过用高粱秆围成的篱笆墙，眼前出现了一排平房。朋友高声叫道："姥姥，姥姥！"屋里传来了悠悠的应答声："谁啊？"一位白发苍苍的老人出现在门口。"维维，快进屋坐！"老人把我们领进屋，带到大炕上坐下。我的朋友向姥姥介绍了我。我连忙问好："姥姥好！"老人一边应答着，一连屋里屋外忙着。屋里很暗，没有电，也没有什么现代设备。土的墙，木头的房顶。一切显得那么简陋。

傍晚的时候，我们三个人围着土砖砌成的灶开始忙乎开来。高粱秆编成的锅盖盖上了又掀开，屋子里弥漫着高粱秸燃烧时的烟味。我从来没有体验过这样的生活。不知为什么，吃着这样做出来的饭菜时，却觉得特别香。"你们吃啊！"老人不停地给我们夹菜。这时，门外传来一声叫喊，老人应声而出。不一会儿，她带来了两位跟她年纪相近的老大爷，他们都穿着古老的中式棉袄。朋友告诉我，这两位老人是姥姥从小玩大的朋友。三个老人都笑呵呵地站在一旁，看着我们两个大姑娘。

到了晚上，老人让我们先上炕。我躺下，想着姥姥的生活。我开始理解她为什么要回到这个贫穷的地方。人总是恋旧的。对我们年轻人来说，执意从大城市回到这样偏僻的地方生活似乎不可思议；但在姥姥眼里，这里的一切都很自然，远比城市的生活轻松自在。这里是她的故乡，有她儿时的伙伴，乡亲们互相之间都很照应。

第二天，我们要走了。姥姥送我们到村口。她把一个塑料袋塞到我手里。"这些鸡蛋你们路上吃吧。""姥姥，保重身体！""姥姥，我们会来看你的。"老人低声应答着。我们走上了来时的小路，回头看那小村子，姥姥还在村口的树下站着。

小禄雪奈(日本)

生　词

隐隐约约	yǐnyǐn-yuēyuē	indistinctly
砌	qì	build (by laying bricks or stones)
麦秸	màijié	wheat straw
高梁秆	gāoliánggǎn	sorghum stalks
悠悠	yōuyōu	long, long-drawn-out
简陋	jiǎnlòu	basic, simple and crude
执意	zhíyì	insist on
偏僻	piānpì	remote
不可思议	bùkě-sīyì	beyond comprehension, unimaginable

说　明

一、动词后的动态助词"着"、"了"、"过"用法提示

1."了"的用法提示：

动词后的"了"表示动作行为的完成。例如：

(1)我听了三遍录音。

(2)他翻译了三本小说。

只有说话者表达的重点在动作(已实现或完成)时，才在相应的动词后用"了"，如果表达的重点不在动作，而在于介绍情况，叙述事件，一般不用词尾"了"。如范文一中的一个段落，虽然是过去的事情，但并没有在动词后用"了"：

"一次，我们在法兰克福邮政博物馆参观，因为是星期天，来参观的中小学生比较多。在这里，我看见一位中年父亲，用手牵着双目失明的儿子，也来到博物馆参观。在展厅柔和的灯光下，父亲轻声细语地向孩子介绍着各类通讯电器展品，并不时引导他用手去触摸展品。儿子不时地仰头向父亲询问，然后又低下头认真听着父亲的介绍，脸上不时露出心领神会的笑容。这一幕，深深打动了我。"

2."着"的用法提示：

"着"主要表示一种持续的状态，主要用以说明、描写某事物所处的或呈现的状态，它的作用在于描写，常用于描述某一场景的句段中。

例如：

(1)这位年轻的母亲在一旁逗着婴儿。

(2)秋天的北京天气很好,行人穿着轻便的衣服,青年男女手拉着手。

(3)常见他们在汽车站的站牌下依偎着。

(4)女孩手里捏着果皮寻找垃圾箱。

(5)三个老人都笑呵呵地站在一旁,看着我们两个大姑娘。

(6)高粱秆编成的锅盖盖上了又掀开,屋子里弥漫着高粱秸燃烧时的烟味。

3.“过”的用法提示:

动词后的“过”表示曾经有某种经历,只能用于过去,总是放在宾语前面,例如:

(1)我在英国的时候,去过两次爱丁堡。

(2)我从来没有见过这样的场面。

(3)我从来没有体验过这样的乡村生活。

二、单音节形容词重叠作定语有很强的描写作用,并常带有喜爱的色彩。例如:

1.天上挂着一轮弯弯的月亮。

2.高高的白杨树挺立在道路两旁。

3.这孩子大大的眼睛,圆圆的脸,特别逗人喜爱。

4.蔬菜摊位上摆放着许多新鲜蔬菜,红红的胡萝卜,绿绿的油菜,紫色的茄子……

课堂练习

一、改正下列语段中“着”、“了”、“过”的错误

我哥哥在北京大学历史系学习着中国历史,去年他写了信问了我来不来中国留学。我当时还没决定了选择什么专业。于是,我跟爸爸妈妈商量了,然后我告诉哥哥我要到人民大学学习中文。

今年夏天我来到北京了。我以前来北京过。不过当时是短期旅游。这次发现了北京有了很大的变化。我走出北京机场的时候,真觉得吃惊了。看着这么多现代化的城市建筑,我不停地向哥哥提出各种问题。

二、在必要的地方用“着”、“了”、“过”填空

我朋友上个星期给我来( )一个电话,他告诉( )我星期六是他的生日,请( )我去他家。他家离我们学校很远,我以前又没去( )他家,所以我决定( )坐出租汽车去。路上大概用( )半个钟头。我到他家的时候,屋子里已经坐( )不少人,桌子上放( )一个生日蛋糕和一些水果。我的朋友向我介绍( )他的同学和朋友,有几个我见( )面,大家互相问候。生日晚会很热闹,大家唱( )歌、跳( )舞、喝茶、聊天,都觉得很愉快。我回宿舍的时候,都12点了。我的同屋在床上躺( )看小说。他说他买( )一本新出版的短篇小说集,非常有意思。我请他看完( )就借给我看。

三、分2—3个小组,谈自己在中国或其他国家的见闻,其他人作记录,准备复述,复述时用第三人称,要求准确使用动态助词“着”、“了”、“过”。例如:

我以前没有去过新加坡,在飞机上一直担心是不是有人来接我。其实,我的担心是多余的。朋友早就在机场等候我。我们一见面就不停地互相询问,谈着分别后的情况。她说几个月前,她在一家公司找到了一份工作,现在已经熟悉了自己的业务,对自己的工作挺满意。走出机场,我发现新加坡的街道确实整洁美丽。我坐在车上,看着街景,朋友给我介绍了一些路

过的有名的地方。到朋友家后，她坚持要我休息休息，等吃了晚饭再带我出去。

作文练习

提示：1—4 题可以介绍自己在中国或其他旅居过的地方的经历。选择印象比较深的事物为题材。

1. 走在中国的大街上
2. ……见闻
3. ……旅游二三事
4. 假日旅行记
5. 看望……

提示：仿照范文四，记叙自己看望某个亲戚或朋友的经过。

第六课

训练重点

1. 按时间顺序记叙
2. 表示时间的语句的运用
3. 组段成篇

一、姨妈的戒指

姨妈千里迢迢从南洋回来，第一件事，就是拿着锄头，来到村东那棵榕树下挖起来。40多年前，她所爱的人送给她一枚金戒指，当时因为土匪经常洗劫这个村庄，她就悄悄把它埋到老榕树下。

在那个兵荒马乱的年代，有些事是难以预料的。有一天，她来不及带走那枚戒指，就随外祖父下了南洋……

后来，姨妈在南洋跟一位医生结了婚。她的初恋就这样成了她乡愁的一部分；那个送她戒指的龙哥也在故乡娶妻生子。几十年风风雨雨，不知带走了多少叹息和泪水。往事如烟，只有那枚戒指一直在她的心灵深处发光。

姨妈的婚姻是幸福的，但她并没有忘记家乡的龙哥。几十年过去了，那埋在榕树下的戒指居然还在，在太阳下依然闪着光，而龙哥已经在3年前去世了。姨妈戴着戒指在他的坟前跪了一个下午。我妈劝她时，她淡淡地一笑，说："我只是想看看心灵的东西能保存多久。我已归于平静，我珍惜现在的一切。"

姨妈是洒脱的。当爱成为往事，她把曾经拥有的一切留在心底，从而更好地把握现在。回首往事，是为了更好地面对未来。

（选自《读者》，作者罗西。有删改。）

生 词

千里迢迢	qiānlǐ-tiáotiáo	far far away, from afar
洗劫	xǐjié	loot, sack
兵荒马乱	bīnghuāng-mǎluàn	fighting and confusion, turmoil and chaos of war
逝世	shìshì	pass away
洒脱	sǎtuō	philosophical
回首	huíshǒu	look back

二、宝石花女表

刚放暑假没几天，我们全家到西单商场买东西。在钟表柜台前，一块方形的女式手表吸引了我。它玲珑小巧，银白色的表盘上镀金指针闪闪发光，表盘上还镶嵌着一朵宝石花。想到自己都快上高中了，连一块像样的手表都没有，我真想把它买回来，可一看价钱，一百多元，我的心都凉了。

回到家，我表现得十分勤快和听话。晚饭后，小心翼翼地向父母提出了买手表的想法。一阵沉默以后，爸爸说："最近家里添了一些家具，钱不宽裕；而且你对东西也不爱惜，买了东西用不了几天就坏，表以后再买吧。"我赌气说："我要是自己买呢？"话一出口我就后悔了，我哪来的钱啊！不料爸爸马上说："好啊，你就自己挣钱买吧。你利用假期给家里干活，比如，擦一双皮鞋两毛，做一顿饭五毛，洗一次衣服一块，明码标价，按劳取酬，怎么样？"他好像早就有预谋似的。我气得不知说什么好，他大约明知我办不到，成心为难我。可我一言既出，就得干出个样子来，让他瞧瞧。我咬咬牙说："行。"

从此，每天写完作业，我就到处找活干。擦桌子、擦地板、收拾屋子、洗碗筷，把一天做的事用本子记下来，晚上向爸爸讨账。当我从爸爸手中接过可怜的一点点工资时，委屈的眼泪直在眼眶里转。为了多挣一点钱，我就拼命地干。擦全家人的皮鞋，每天做三餐饭，采购油盐酱醋，打扫室内外卫生。有一次我听见妈妈对爸爸说："别让她干了，为了挣这点钱，别累着了孩子。"我很激动，真希望爸爸说一声："好吧，给她添点钱把表买了算了。"可爸爸却若无其事地说："没关系，她能行。"我真想扔下手中的活儿，冲进去对他嚷："我受不了，我不干了。"可是想到事先的"协定"，想到这么多天的辛苦不能白费，又忍住了。

日子一天天过去，我做饭、干活的手艺都有了很大的进步，一天下来也不再感到劳累，钱也装满了我那小猪形的储蓄罐。于是我决定开罐取钱。当我拿出那一张张纸币和一枚枚闪闪发亮的硬币时，突然发现了一张叠着的字条。我展开一看，是爸爸的字迹："冬梅，当你看到纸条时，你一定攒了不少钱。这是你的劳动成果。不要怨恨爸爸。我是想让你知道：人生中许多东西都不是轻易能得到的，必须付出艰苦的代价，有时甚至要付出生命。而且轻易能得到的东西你也不会爱惜。通过劳动，你必定还会得到比钱珍贵得多的东西，好好总结一下你的收获吧。你攒的钱，就留给你学习上用。至于表，去看看写字台的抽屉吧，你会满意的。"我冲向写字台，拉开抽屉，正中放着一个小盒子。我打开一看，正是那块宝石花手表！这时我百感交集，竟放声大哭起来。

（选自《中学各类作文技巧评说》，作者周冬梅。有删改。）

生 词

玲珑	línglóng	exquisite
镶嵌	xiāngqiàn	inlay
预谋	yùmóu	plan in advance
若无其事	ruòwú-qíshì	unconcernedly
埋怨	mányuàn	complain
抽屉	chōuti	drawer
百感交集	bǎigǎn-jiāojí	have mixed feelings

三、祝好人平安

每当我看到年轻的母亲抱着孩子挤车上下班时，我都不由寄予深深的同情，尽可能地给她们一些关照和帮助。因为我也是这样抱着我幼小的女儿，走过一个个寒冬酷暑的。

那是1983年，产假休完以后，我要上班了，只好把女儿寄托在一位老太太家。老太太家离我家有两站地。每天早上，我必须先把孩子送到老太太家，再去赶车上班。时值隆冬，孩子穿着厚厚的棉衣，非常臃肿，我抱着她，根本挤不上车，只好抱着她顺着马路走，走不了多远我就浑身是汗了。

一天，我正浑身冒汗地抱着孩子在路上走，一辆公共汽车在我身边停了下来，而且车门大开，在等我上车。司机还在车上喊："请大家往里挤一挤！"到了我该下车的胡同口时，汽车又停了下来。我一边急急忙忙地下车，一边对司机说着感谢的话。司机说："别说这些了，我知道你的难处。我有个孩子也这么大。"他的话很真诚。

从此以后，只要碰上我，他都要把车停下，让我上车，把我送到胡同口。后来，我觉得抱孩子太吃力了，就借了一辆小孩车，推着孩子走。但是，只要看见我，这位司机仍要把车停下，而且经常帮助我把小孩车搬到汽车上。他这样做的时候，也曾引起过车上少数人的非议，以为我是他的什么三亲六故，他在为亲友行方便，但他似乎并不在意。

过了一些日子，我突然发现这位司机不见了。虽然他开过的那辆车，每天还在这条线路上跑，开车的却不再是他。整整一个漫长的冬天过去了，我一直没有再见到他。后来，我搬了家，可我总是想起这位好心的司机。

我常想，同走今生便是一种缘分，人与人之间应该多一些体谅，关切和友情。又一个冬天来临了，我祝那位司机朋友一生平安。

（选自《北京晚报》1997年12月22日，作者严小明。有删改。）

生　词

寄予	jìyǔ	show, give
产假	chǎnjià	maternity leave

非议	fēiyì	reproach; censure
三亲六故	sānqīn-liùgù	all the kinsmen and kinswomen (acquaintances)
缘分	yuánfèn	lot or luck by which people are brought together

说　明

一、在记叙文中,要把事情的过程记述得脉络清晰,必须交待清楚事情发生的时间。上述范文中,每一段落开始,经常用一些表示时间的语句,注意它们在叙事中的作用。

1.“那是 1983 年,产假休完之后……”点明了具体的时间和事件。

2.“听了这个故事以后……”,“整整一个漫长的冬天过去了”表示时间的推移,事件的发展。

3.“一天又一天”,类似的格式有“一年又一年”“一个月又一个月”等,表示时间的推移,并含有事情进展比较缓慢、艰难的意思。

二、常用表示时间的语句

1.点明具体的时间,例如:

(1)一个星期六

(2)1945 年 3 月

(3)在那个兵荒马乱的年代

(4)当妈妈回来的时候

(5)三个小时以前

(6)晚饭后

(7)到了我该下车的胡同口时

(8)刚放暑假没几天

2.表示时间的推移,例如:

(1)后来

(2)第二年

(3)三个月过去了

(4)过了不久

(5)不知过了多久

(6)从此(以后)

(7)考虑了一段时间以后

(8)日子一天天过去

3.不直接使用时间词语指出时间的推移变化,例如:

(1)时钟敲了九下,人们仍然焦急地等待着。

(2)太阳下山了,小村子里家家户户升起了炊烟。

(3)焦急地等到散会,他才发现她早就离开了会场。

(4)他渐渐消瘦下去,医生们也开始对这种治疗方法失去了信心。

(5)等到他们再次见面,已经忘了对方的名字。

(6)翻了几页书,他仍然心烦意乱。

课堂练习

一、阅读例文,找出表示时间的语句,注意这些语句在叙事中的作用,并仿照这些语句,自己写出10个表示时间的语句

例如:

1.我考上大学那一年,弟弟去海南打工去了……

2.过了最令人担心的三天,爸爸脱离了危险……

二、阅读短文,把下列词语填入每段开始的空白中去,注意时间词语的运用

从此;从前;后半夜;有天晚上;当太阳升起的时候;沉闷了半夜

(　　)有一个青年常常为失眠苦恼。

(　　)他上床怎么也睡不着,因为他欠了别人很多债,按他目前的经济情况,他根本还不起那些钱。

(　　)他忽然向自己提出一个问题:"许多人都能轻松自如地生活在这个世界上,许多人都能自食其力,为什么我不能呢?"

(　　),他开始分析自己,他把自己和境遇好的人作了比较。他发现,无论处于什么样的境况,他所欠缺的,别人也欠缺。他和所有的人一样生活,而自己唯一缺少的是自信心。

(　　)他开始醒悟到自己应该怎样去对待生活。平时,他早晨起床的时候总是懒洋洋的样子。这一天,他一反常态,充满信心地开始了新的一天。

(　　),他的身上发生了奇迹。自信使他敢于面对生活的挑战,自信使他充分在生活、工作中显示自己的能力,施展自己的才能。一年后,他不仅有了可观的收入,事业上也有了成绩。

三、把下列段落按顺序连接起来,注意段落之间的连接词语

(一)电话两端

1.第二天,他在厂门口遇见她。她说:"昨天,整整一天我都在等你的电话。"
2.他在电话的一端,她在电话的另一端。
3.用完餐她或许会午睡,即使她不睡,她的母亲肯定要睡的,电话铃会把大家都吵醒。
4.好不容易挨到太阳升高,他拿起话筒,但又想,这时候,她一定在化妆,不好打搅她。
5.下午可一定要打电话了,再不打可就晚了。可忽然他想起她曾经说过,午睡后她喜欢静静地坐一会儿……
6.他从早上就开始准备给她打电话,因为在梦里他已经把这个号码拨过无数遍。但他想,星期天,她一定还没起床。
7.心不在焉地翻过几页书,看一看表已是中午,毫无疑问,她已经在用餐了。

(二)纸篓和墙

1.三十年以后,人们对第一个孩子一墙一墙地展览的画已不感兴趣,第二个孩子的画儿却一鸣惊人,震惊了画坛。
2.第二个孩子没法展览,一纸篓的画儿,满了就倒掉,所有的人都只看到他手头尚未完成的那一张。
3.三年以后,第一个孩子举办了画展:一墙的画,色彩鲜亮,构图完整,人人赞扬。
4.第二个孩子的妈妈给孩子一叠纸、一捆笔,还有一个纸篓。她告诉他:你的每一张画儿

都要扔在这个纸篓里,无论你自己对它满意还是不满意。

5. 有两个爱画画儿的孩子。

6. 人们把第一个孩子贴在墙上的画儿揭下来,扔进了纸篓;又把第二个孩子扔在纸篓里的画儿拾出来,贴在墙上。

7. 第一个孩子的妈妈给儿子一叠纸、一捆笔,还有一面墙。她告诉他:你的每一张画儿都要贴在墙上,给所有来我们家的客人看。

(莫小米原作)

四、口头作文:以小组为单位,每人模仿下例,讲一件日常生活中的小事,注意时间的表述

我和姐姐看电影

1978 年 7 月的一天,姐姐单位组织看电影。当时,上初中的我特别喜欢看电影,姐姐也给了我一张票。

这天早上,姐姐把票给我,说:"你放了学就直接去吧,我们的座位挨着,我中午给你带点吃的。"

放学后尽管我是一路小跑,还是晚了 10 多分钟。

进了门,一片漆黑,工作人员打着手电来检票,我晃了一下票说:"17 排 21 号。"随后,工作人员带我找到座位。我坐定后,看到姐姐全神贯注地看着银幕,便说:"开演了半天了吧? 怎么没有个加片?""没有。"姐姐简短地回答。这时姐姐拿出一把扇子不停地扇着。我心里想,我都跑了半天了,也不给我扇一下。于是,我说:"给我用一下。"不等姐姐反应,我就把扇子拿了过来。

过了一会儿,姐姐从塑料袋里拿出一根雪糕,剥起了纸。我也没跟姐姐客气,一把拿过来,说:"我自己来吧!"话音刚落,坐在姐姐旁边的一位小伙子说话了:"你这小子没完了?"我顿时一愣,再仔细看看长相、声音都像姐姐的女士,我根本不认识。

我急忙拿出电影票来看了看,票面上明明写着:11 排 21 号。我望着手中吃了一半的雪糕,给也不是,不给也不是。得了,还是赶快去找我的真姐姐吧。

(选自《北京晚报》,作者胡建强。有删改。)

作文练习

提示:仿照例文,选择一个题目写一篇记叙文。要按照时间顺序讲述,注意段落之间的连接,恰当运用表示时间转换的词语。

1. 难忘的往事
2. 一件珍贵的礼物
3. 童年趣事
4. ……的故事

提示:记叙一个传说中的故事,或发生在自己身边的故事。

第七课

训练重点

1. 有条理地记叙、说明
2. 补语的运用

一、蒸汽机车的诞生

提示：下文介绍了蒸汽机车的诞生过程中的故事，文中的程度补语用得很恰当，把当时机车的样子以及对周围的影响描绘得很生动。

1814年英国人斯蒂芬逊制造出了一辆蒸汽机车。当时，它像一个刚刚出生的婴儿一样，其貌不扬，丑陋笨重，走得很慢。这时有人驾着一辆漂亮的马车，声称要和火车赛跑。火车开动后走得很慢，而且由于没有装弹簧，车身震动得很厉害，把路基都震坏了。火车放出气来，声音也尖得吓人，把附近的牲口都吓得乱跑乱叫，引起了农民的恐慌。那辆漂亮的马车骄傲地跑在前面，而火车却艰难地行驶着。于是有人跟斯蒂芬逊吵架，各种议论、讥笑一时迎面而来。

然而，斯蒂芬逊是一位具有远见卓识的科学家。他没有因为一时失败就灰心，也没有被嘲笑压倒，他坚信火车一定能超过马车，并具有别的车无法媲美的前途。他以科学的态度正视火车的缺陷，不断改进，使它越来越完善。

一百多年过去了，今天，马车依然按它原来的速度转动着轮子，而火车却在飞速前进。

生 词

蒸汽机车	zhēngqì jīchē	steam locomotive
其貌不扬	qímào-bùyáng	unprepossessing in appearance
丑陋	chǒulòu	ugly
路基	lùjī	road bed
恐慌	kǒnghuāng	panic, fear
远见卓识	yuǎnjiàn-zhuōshí	farsighted
媲美	pìměi	rival

二、暑期打工记

提示:这篇文章作者介绍了一段假期打工的经历,并且通过这次经历引起对某种社会现象的思考。阅读时应注意文中数量补语的运用。

我在省城上大学,暑假回到家乡。我想找一个临时工作,可以给家里减轻一点儿负担。于是,我在我们住宅区贴了一张海报:本人是大学理科三年级学生,暑假期间愿意作临时家庭教师,收费合理。终于,我有了两个学生,我每天给他们辅导两个小时,在同行中,我的收费不高不低,对这每天几十元收入我已经很满足了。

有一天,邻居小强突然上门来找我。他以前是我的同学,读初中的时候,他看到许多个体户都富起来了,就离开学校去摆水果摊了。卖了几年水果,赚了不少钱,水果摊改成了水果店。

"大林,你何苦去作家庭教师呢?"他一进门就说。

"在家没事干,闲得也难过。"我不好意思说缺钱用。

他吐了一口烟圈,对我说:"我最近很忙,店里照应不过来。你每天夜里帮我到店里值班,我不会亏待你的。你晚上八点钟去,我早上七点开门作买卖,你只要在店里睡一觉就行了!"我想,水果店离我家不远,走三五分钟就到,而且只是晚上值夜,不影响白天辅导学生,就答应了小强。

暑假就这样紧紧张张地过去了。两个学生家长给了我三百元的酬金。小强在我出发前来到我家,有点财大气粗地说:“你给我值了一个月班,这六百元是给你的工钱。”我吃惊地问:“给我这么多钱?”“哎呀,几百块钱小意思!”他哈哈大笑起来。

我望着眼前的钞票,心里感到很不是滋味:给学生辅导一个月,才 300 块;而在水果店看大门看了三十个晚上,却拿到 600 块,知识真的这么不值钱?

生　词

何苦	hékǔ	why bother
亏待	kuīdài	treat unfairly
财大气粗	cáidà-qìcū	the brashness of the wealthy
酬金	chóujīn	monetary rewards

三、放　　生

提示:这篇文章按照放龟这件事的发展顺序来讲述的,以朋友送龟到自己不得已养龟,最后决定放龟以及南下途中放龟的过程为线索,事情的来龙去脉叙述得很清晰。

一个朋友知道我喜欢动物,就送给了我一只乌龟作为新年礼物。朋友说这是名龟,家乡在江苏的什么湖里,数量不多。我把龟带回家放在盆里。龟很小,不及一盒烟大。它不吃也不喝,呆呆地趴在盆里,一副魂不守舍的样子。我买来肉切碎喂它,把白菜撕碎喂它,它看也不看。

据说龟是长寿的,又能耐饥,一个月不吃东西也饿不死。不过,这只龟太小了,正是发育身体的时候,饿坏了怎么办?我不懂饲养方法,正忙于写书,没时间养龟。还有,我喜欢动物也同情动物,同情动物园里的狮子老虎,同情拉车的马和床上的猫。动物不应该是这样生活的,它们应属于大自然。我不懂龟的语言,但它不吃也不喝,不正是在表示抗议么。

于是我作了放龟的决定。谈到放龟,又有了难处。这座北方古城冬天是很冷的,郊区的水库都结了冰,这南方的龟会不会冻死在这里?那么我的一片好心反而做了坏事,扼杀了一个小生灵。

三月份，我和作家老李有了出门的机会，是去南方采风。正好可以带上龟，南方应该暖和些吧！可是我俩都估计错了，三月的南方甚至比北方还冷，而且潮湿。

到了贵阳，才觉得像春天的样子，不很冷，树也是绿的。我决定把龟放在这里，这里不如它的江苏家乡，但比北方好多了。我和老李去了花溪公园，把这只可爱的龟放在清清的湖水里。

意想不到的是，龟沉入湖底后并不游开，而是静静地趴在那里，良久，才慢慢爬动，爬上岸，一直爬到我们脚下，停住，昂起头看着我们，很久，很久。终于，这只龟转身走了，重新进入水里。在它的身体融入水中的一刹那，真是美极了。

（节选自《中外期刊文萃》，作者韩冬。）

【生　词】

龟	guī	turtle
魂不守舍	húnbùshǒushè	dazed
抗议	kàngyì	protest
采风	cǎifēng	learn local practices and customs
良久	liángjiǔ	a long time, a good while
一刹那	yīchà'nà	a split second

说　明

补语

补语位于动词或形容词谓语后，对其进行补充说明。根据补语的不同功用，可以分为结果补语、趋向补语、可能补语、程度补语、数量补语等。

1. 结果补语：在动词谓语后面表示动作的结果。例如：

(1)我买来肉切碎喂它。

(2)良久，它才慢慢爬动。

(3)我们俩都估计错了。

2. 程度补语：在谓语后边表示动作的程度和动作进行的情态。例如：

(1)蒸汽机车跑得很慢。

(2)声音尖得吓人，把附近的牲口吓得乱跑乱叫。

(3)车身震动得很厉害。

(4)听到这个消息，她高兴得睡不着觉。

3. 数量补语：数量补语用在形容词或动词谓语后边，用来表示动作、行为经历的时间、频率和数量。例如：

(1)走三分钟就到了。
(2)值了一个月班。
(3)我一个星期教他们一次。
(4)给学生辅导一个月，才 300 块；而在水果店看大门看了三十个晚上，却拿到 600 块。

4.趋向补语：在动词后面表示动作的趋向。例如：
(1)他看到许多个体户都富起来了，就离开学校摆水果摊去了。
(2)那只龟并不游开。
(3)她急急忙忙地向车站跑去。

5.可能补语：在谓语动词后面，补充说明动作能否达到某种结果或情况。例如：
(1)我生怕自己翻译不完那篇文章。
(2)我找不到合适的工作，只好去当临时工。
(3)你听得懂这个人的报告吗？

课堂练习

一、修改病句

1.我八点才回来宿舍。
2.我在宿舍洗衣服，我洗完衣服就到朋友家来。
3.我不能爬上这么高的山。
4.我听的不清楚他说的话。
5.我借这本书不到。
6.这里的电话号码你记得住记得不住。
7.这些饺子被我们吃得完。
8.我吃饭完就进城去。
9.他的意思大家不听明白。
10.我已经一个星期收不到朋友的信了。
11.今天星期日，我想打电话给我的日本朋友，请他到我这儿去玩。我已经一个多星期收不到他的信了，很想念他。可是，他的电话号码我记得不住，于是我只好打电话问他妹妹。他妹妹来半年中国了，但还不会说汉语，她说的日语我又听得不懂。

二、给下面这段话填上趋向补语

我看见那个身材瘦小的老人从小汽车的行李厢里搬(　)了一个布包，然后费劲地抱着包裹，慢慢地向沙漠走(　)。我被好奇心驱使着，远远地跟在了他后面。

他步履艰难，不时要停(　)喘喘气，好不容易爬(　)了一座小山冈。然后，他向四面看了看，将那包裹扛在肩上，又朝山下走(　)了。忽然，他在泥地上跪了(　)，小心翼翼地解开了那个包裹，我悄悄地走了(　)，想看看里面到底是什么。

三、给下列句子选择适当的程度补语

1.我长这么大，交的朋友真是多得____。
2.听说儿子生病住院了，他急得____。
3.得到大学录取通知书的那天，她高兴得____。

4. 这位老人爬到山顶时,已经累得____。
5. 夏天,候车室里热得____。
6. 看到远方回来探亲的孩子,他笑得____。
7. 周末我去了附近的一个农贸市场,那里人太多,挤得____。
8. 父母听说姐姐跟那个小伙子结婚的消息,气得____。

A. 嘴都合不拢
B. 水泄不通
C. 像蒸笼似的
D. 跳起来
E. 几夜没合眼
F. 说不出话来
G. 上气不接下气
H. 数不清

四、在下列题目中选择一个写一段话并在小组中朗读(100字左右),描述某个场景或生活片断,注意恰当地运用各种补语

1. 在公共汽车站等车的人们
2. 公园的早晨
3. 家庭周末
4. 公用电话前

作文练习

选择一个感兴趣的题目写一篇作文,叙事要有条理,注意补语的运用。

1. 我学习汉语的故事

提示:谈谈自己的学习目的、学习中的困难以及印象深的课程、老师等。

2. 我学习做饭/打太极拳的经过
3. 打工记

提示:仿照范文二写自己找工作的经历或一段工作经历。

4. 第一次……

提示:记叙自己第一次上台表演、独自出门旅行、工作等的经历。

第 八 课

训练重点

1. 写日常书信
2. 书信的格式

范　　文

一、给父母的一封信

提示：这是一封给爸爸妈妈的家信，是一个住在亲戚家的女孩珊珊写的。她爸爸妈妈工作忙，常常出差，无力照顾她，就把她托付给舅父、舅妈家。

亲爱的爸爸妈妈：

你们身体好吗？工作忙吗？还像从前那样三天两头出差吗？我离家两个月就像过了两年，天天想家，真想回去看看你们。

不过，在这里读书也有好处。生活中有姥姥、舅妈照顾，一日三餐都很应时，我都长胖了，学习也有进步。比如，你们过去总叫我“错别字大王”，现在可不是了。我的第一次作文老师找出了12个错别字，如我把“专心”写成“钻心”，“刻苦”写成“克苦”，“浇”写成“烧”等等。一下子我成了“全班之最”。老师和舅舅商量后，一方面教我订正错别字的方法，一方面要我订一个小本子，把写过的错别字都记在小本子上，在旁边写上正确的。有了这份“病历”，我就常常翻开来对照。没过多久，老毛病改了不少，现在我的作文里错别字就少多了。爸爸妈妈，你们不会认为我吹牛吧，不信，你们看看我的信，是不是比以前好多了?

还有一个大进步,是学会了洗衣服。刚来时,姥姥不让我洗,可是我想起了临来时你们的嘱咐:“多帮舅妈干活儿。”于是我就学着洗。头几回洗不干净,姥姥舅妈还拿去“加工”,现在舅妈说可以打80分了!你们高兴吗?

写这封信时,舅舅让我告诉你们不用寄钱来,月月寄的钱都花不完。马上就要考试了,我得复习功课,下次再写吧。

祝你们

健康愉快!

女儿　珊珊

12月4日

生　词

三天两头	sāntiān-liǎngtóu	almost every day
应时	yìngshí	at the proper time
订正	dìngzhèng	correct
吹牛	chuīniú	boast
嘱咐	zhǔfù	tell, instruct

二、给朋友的一封信

亲爱的小华:

你好!

你的来信已经收到三个星期了。因为最近忙于查资料,完成一篇论文,拖到今天才给你回信,请你千万不要生我的气啊!

来到这所大学读研究生已经快三个月了。在新的学习环境中我经历了不少以前没有经历过的事情,也交了一些新朋友。我越来越喜欢这里了。研究生院的课程都挺有意思,虽然学习相当紧张,但我劲头挺足,精神状态很好。朋友们说我比以前开朗些了。不仅我的性格变了,体质也发生了变化,现在不像原来那么瘦弱了。

除了紧张的学习,我在朋友的鼓动下,参加了学校的话剧队。你知道我向来对话剧表演很感兴趣，这次有机会参加业余演出，给我的课余生活增添了不少色彩。话剧队的成员来自各个系，我也有机会了解别的系的情况。我们在新年期间要上演自编的话剧《不是结论》，讲的是当代知识界的各种凡人小事，挺有意思。我在里面扮演一个中年讲师，虽然是个配角，我仍要认真演好。希望到时你能来看我们的表演。

你问北京的天气怎么样，当然跟你两个月前离开时大不一样了。秋天的北京气候宜人，风景优美。我们夏天一同去香山时看到的是一片青葱，现在那儿的树叶都红了。我上个周末跟同学一起又登上了山顶，拍了不少照片，等洗出来我寄几张给你看看。

我想南方的秋天一定跟北京有很大的差别。你去那儿两个多月了，一切都还习惯吗？在那儿的研究工作进展顺利吗？有空来信谈谈你的情况。你来信托我买的书我已经买到并给你寄去了，请你注意查收。

安真昨天在食堂碰见我了，她问起你这位老同学的近况，并让我转达她的问候。

祝你

身体健康！

工作顺利！

林 子

1996年11月12日

生 词

开朗	kāilǎng	cheerful
凡人	fánrén	ordinary person
配角	pèijué	minor role
查收	cháshōu	(often used in written message)please find
转达	zhuǎndá	pass on

三、给表哥的一封信

提示：在亲人、朋友遇到困难时，可以通过书信给他们安慰。范文三是一位高中学生给她高考落榜的表哥的信，她在信中鼓励他在失败后看到希望，不要失去自信。

表哥：

你好！

收到来信，得知你高考落榜的消息，我感到很遗憾，仅几分之差呀！但是我心头更有一种说不出的滋味，我为你的沮丧而难受，看了你的来信，觉得你似乎被高考的失败击垮了。

你说，高考是一场生死攸关的战斗，落榜就是宣判死刑，断绝一切出路。我看，你是想得太狭隘了。你根本没有看清楚高考的真面目。从小学起，我们经历了12年的学习生活，可以说是“身经百战”了。虽然现在的教育体制，使高考的重要性特别显著，但高考的失败并不能抹杀你以前的成绩。难道落榜者头脑里的学问也会失落吗？人的价值能用一张考卷来衡量吗？

你说你的希望破灭了，“眼前一片漆黑”。我觉得恰恰相反，一切才刚刚开始。“上帝在这里关了门，又在那边开了窗。”你抬起头，看一看，就会发现面前的路更多更广阔。以前，你总是把上大学看成唯一的出路，没有其他的选择；现在呢，除了明年再考一条路，面对包罗万象的社会，你的选择不是更多了？也许你将发现，落榜反而能成就你以前别的梦想呢！

记得你原来曾梦想过做一名军人，高中参加军训时，射击还得了全A的好成绩，你是否还对军旅生涯充满渴望？如果是这样，不妨试着使你的这个梦想成为现实。我还记得你爱好足球，并且当过校女子足球队的教练，现在市青少年足球队正在招收新队员，你也可以利用这个机会去施展自己的球艺。另外，从你的学习实力来分析，如果考试发挥正常，考上大专是没有问题的。如果你再复习一年，明年是大有希望的。总而言之，出路有很多，希望不是没有，而是刚刚升起。

明年我也将经受高考的挑战。对此，我已经有了充分的准备。虽然我的成绩不错，考取的机会不小，可是万一我落榜，也不会绝望。无论怎样，我还是我；正像现在，你还是你。不以成败论英雄嘛！

表哥,希望你能振作起来,驱散你心中的阴郁,你会看到你前面的路仍然充满希望和光明。随信寄给你一本《贝多芬传》,我很崇拜这位伟大的音乐家,也很喜欢这本书,希望你能从中得到一些启迪。

祝

奋发向上!

你的表妹:晓　芳

1996年10月8日

(节选自《全国名校专题作文精选》,作者邢晓芳。)

生　词

落榜	luòbǎng	fail entrance examination
沮丧	jǔsàng	dejected
击垮	jíkuǎ	defeated, overwhelmed
生死攸关	shēngsǐ-yōuguān	be a life and death matter
狭隘	xiá'ài	narrow and limited
身经百战	shēnjīng-bǎizhàn	be a veteran in battle
抹杀	mǒshā	blot out
衡量	héngliáng	measure
军旅	jūnlǚ	troops, military
生涯	shēngyá	career
驱散	qūsàn	disperse
阴郁	yīnyù	gloomy, melancholy
崇拜	chóngbài	respect
启迪	qǐdí	inspiration

说　明

书信的写法与格式

1. 中文信封:

信封要写得详细、准确、字迹工整。

先写明收信人的地址,信封左上角写邮政编码。第二行靠左写收信人地址,从大到小,即先写省份、城市,再写具体的街道,门牌号码。

收信人的姓名写在信封中间。信封是给邮递员看的,不要写寄信人对收信人的称呼,如"某某兄""某某爷"都是不恰当的。可以写一般的称呼,如"某某先生""某某女士"或"某某老师"等。

信封右下方写寄信人的地址或姓名，要写得准确详细。如果收信人地址有误或有变更，邮递员可以将信件准确退还寄信人。

例 1：

330003

江西省南昌市西湖区胜利路 12 号

张汉名　先生　收

北京海淀路 179 号林园 30 楼 10 号刘寄

100872

100086

北京海淀区双榆树青年公寓 1905 号

刘　青　女士　收

上海四川东路 132 号

200098

2. 正文：

书信是亲戚、朋友之间互通情况、交流感情、思想，商讨问题时用的。内容一般有以下几部分：

1)称呼：

写在信的第一行，顶格写，后面用冒号(：)。称呼由收信人的关系而定，可以是简单地用平时的称呼："小红""张弓""爸爸""妈妈""三哥""大姐"等，或某某老师，某某先生，也可以称职务"校长""教授""主任"。前面可以用"亲爱的""尊敬的"或"敬爱的"等等。

2)主要内容：

一般先表示问候，说明收到来信的时间等，如：

(1)"我昨天刚收到你的来信，得知你在那儿一切都很顺利，真为你高兴。"

(2)"也许没有得到你的消息，我和妈妈都很惦念，不知你的近况如何，对新的环境是不是习惯？"

(3)"我刚到上海，一路上多亏你的朋友照顾我们，很顺利……"

(4)"上个月收到了你的来信，最近一直忙着写毕业论文，拖到今天才提笔写回信，请原谅。"

信的具体内容没有任何限制，但语言表达要亲切自然，像谈话一样，由双方的关系决定措辞。表达应该条理清楚。

3)结尾：

信的结尾常常表达自己盼望回信的心情，例如：

(1)"等着你的回信，给我们谈谈在那里生活的感受……"

(2)"有空来信谈谈你的近况，你的网球打得怎么样了？"

(3)"有什么事情需要我在这里帮你办，尽管来信告知……"

(4)"如果您和同事、学生需要我帮助，请写信告诉我，我会很高兴去做的。也欢迎大家来北京时来找我。我家的电话号码现改为 62177766 转 27，我盼望再见到你们。”

最后应该写上表示祝愿的话，如：

(1)“祝你愉快！”

(2)“祝你家庭幸福！”

(3)“祝你研究工作进展顺利！”

4)署名：写在右下角，名字后边或下一行，写上写信的时间。

作文练习

以下列人为对象写一封信，注意书信格式。

1.给朋友或亲人写一封信，谈谈你现在的生活和感受。

2.假设你的朋友或弟弟妹妹快要高中毕业了，可是他不知道怎样选择自己的专业，他对很多事情都很感兴趣，比如历史、哲学、政治、生物等。根据你对他的了解以及你的经验，对他谈谈你的看法。

3.假设你遇到下列问题之一，给父母或知心朋友写信谈谈自己的烦恼。

(1)最近遇到一个不太合得来的同屋。

(2)你学习很努力，可是汉语水平提高不太快。

(3)你快要毕业了，想在公司找一个工作，可是几次工作面试都没有成功，你对自己有点儿失去信心了。

(4)在重要考试或比赛中失利

(5)因失恋而痛苦

4.设想你收到了练习3中的信，写一封回信鼓励安慰他们，也给他们出主意、想办法，帮助他们解决问题。

第三单元

第 九 课

训练重点

1. 说明事物(1)
2. “把”字句的运用
3. 关联词语的运用(1)

一、西红柿的经历

提示:这是一篇说明文。说明文要求对事情的性质、特征、形态或发生发展过程作解释说明。说明的对象很广泛,可以是花草树木、山水、艺术作品、体育运动项目等具体事物,也可以是抽象的事理,如某种政治观点、学术流派等。说明文以说明为主,往往也有一些记叙、议论的成分。《西红柿的经历》简要说明了西红柿被人们请上餐桌的过程,并指出其中蕴含的道理。

说起吃西红柿来,简直太平淡无奇了。可是谁能想到,就在三百来年前,世界上还没有人敢吃西红柿呢!

据说,西红柿最早生长在秘鲁的森林里。因为它成熟时色泽娇艳,人们把它当作观赏植物,谁也不敢吃上一口。到16世纪,英国有个公爵去南美洲游历,他很喜欢这种植物,就带了一个回英国,送给了他的情人。于是,欧洲人就把它称为“爱情的苹果”,种在花园里,并作为象征爱情的礼品赠给所爱的人。但一代又一代,仍没有人敢吃它。又过了差不多两个世纪,才有个法国画家想尝尝它究竟是什么味道。当然他并没有中毒,倒还尝到了酸中带甜的美味。后来,有人分析了它的成分,断定它是营养丰富的食品,才把它从公园请进了菜园,上了餐桌,并且很快传遍了全世界。

从西红柿的遭遇中，我们不该悟出点道理来吗？如果没有那位法国画家"亲口吃一吃"的勇气，西红柿或许还长在公园里呢！由此看来，人们要有探索的勇气，才能不断发现、认识新事物。

生　词

平淡无奇	píngdàn-wúqí	appear trite and insignificant
成熟	chéngshú	ripe
色泽	sèzé	colour and lustre
娇艳	jiāoyàn	delicate and charming
公爵	gōngjué	duke
中毒	zhòngdú	be poisoned
分析	fēnxī	analyse
探索	tànsuǒ	explore

二、美国的快餐

提示：《美国的快餐》介绍快餐的种类和制作，其中关于热狗的"身世"的小插曲生动有趣。

美国人用餐一般不在精美细致上下功夫，而更讲求效率和方便。所以近年来方便食品日益增多，除了最常见的三明治、汉堡包和热狗之外，市场上还有快餐面包、方便面、电视餐等，五花八门，名目繁多。

汉堡包和热狗是街头巷尾出售的大众化食品。汉堡包中通常有牛排和洋葱，吃起来可口方便，深受人们欢迎。其中热狗的问世，还有一段有趣的小插曲。传说热狗的发明者是德国移民安东·弗奇特万根。1904 年，他在圣·路易斯开了一家饭铺，出售牛肉、香肠等。因为买不起那么多银制刀叉，只好把手套发给顾客，让大家用手拿着香肠吃。不久，他就发现这个办法不行。有的人吃完饭后"顺手牵羊"，把手套也带走了；而且洗手套很费时间。他最后想了一个办法：把肠夹在一种细长的面包里出售。这样不仅方便，而且好吃，很快得到大家的喜爱，畅销各地。由于这种食品像夏天伸出舌头的狗，所以人们把它称为“热狗”。

三明治是用两片面包涂黄油或芥末等，再夹一层奶酪或熟肉做成。三明治种类很多，比较受欢迎的有火腿三明治、金枪鱼三明治等，有的人也喜欢把西红柿和蔬菜夹在三明治里一起吃。

所谓电视餐，就是把主菜、甜点、汤等放在有格的盒子里，平时冷藏，吃的时候，放在烤箱里烤二三十分钟即可。饭后把盒子扔掉，简单方便。因为可以一边吃一边看电视，所以叫做“电视餐”。

生 词

五花八门	wǔhuā-bāmén	all kinds of
名目繁多	míngmù-fánduō	with many and varied names
热狗	règǒu	hot dog
牛排	niúpái	beefsteak
洋葱	yángcōng	onion
畅销	chàngxiāo	sell well
芥末	jièmò	mustard
所谓	suǒwèi	what is called, so called
冷藏	lěngcáng	refrigerate

三、怎样使用《新华词典》

提示：说明文不仅介绍事物，还可以介绍某一方面的知识，下文帮助人们掌握词典的使用方法，很有实用价值。

《新华词典》是一位不会说话但知识丰富的“老师”。如果你有什么字的形、音、义辨不清或不知道，可以去请教它，它会毫不保留地告诉你。去“老师”家有两条“路”：一是随拼音走，即“拼音查字法”；二是按照部首寻找，即“部首检字法。”

如果你知道一个字的读音，不知道它的意思，可以走第一条“路”——到《汉语拼音音节索引》中去寻找该字或它的同音字，字后面的页数便向你表明该字的“住所”，只要翻到页数，就知道它的意思了。

也许你会说，上述方法倒也简便，只是如果我不知道所查字的读音怎么办呢？这不用发愁，你可以走第二条"路"——到《部首检字表》里去查。不过，你得先知道字的偏旁是什么、有几画，接着在《部首表》中找到这个偏旁，再看看旁边注明的该偏旁在《部首检字表》中的页数，这样翻到《部首检字表》，就可以查明该字在《新华词典》中正文的页数。最后，可以在正文中找到你要查的字。

如果遇到一些既不知读音，又拿不准偏旁的字，你也不用着急，"老师"为你准备了一张《难检字表》，只要你知道所查字的笔画，就能很快查出这个字在字典中的页数。

如果你还有什么棘手的问题，还可以参看词典的《凡例》和《说明》部分，它们会给你提供问题的答案的。

"路是人走出来的"，希望你顺着这两条路，尽快与这位好"老师"交上朋友，请它来丰富你的汉语知识，提高你的汉语水平。

（作者冯叔华。有删改）

生　词

索引	suǒyǐn	index
检字法	jiǎnzìfǎ	indexing system for Chinese characters
部首	bùshǒu	radicals (by which Chinese characters are arranged in dictionaries)
偏旁	piānpáng	component parts (of Chinese characters)
棘手	jíshǒu	knotty
凡例	fánlì	notes on the use of a book

说　明

一、"把"字句的运用

在以上的范文中，可以看到不少"把"字句。"把"字句具有表示对某事物处置的功能，写一些说明性的文字时，如产品的制作过程、使用方法等，"把"字句是很有实用性的。

运用这种句型要注意以下一些基本使用条件。

1."把"字句的基本语序：

施事主语＋"把"＋受事者＋动词＋其他成分

例如：

(1)我把那本中文书看完了。

(2)人们把西红柿当作观赏植物。

2.“把”字句的特点和使用注意事项：

1)谓语动词是及物动词，没有支配影响作用的动词不能充当“把”字句的谓语，如“是、有、知道、希望、进、出”等。

2)“把”的宾语是动词谓语的受事者，一般是确指的事物。

例如：

(1)我把这本书翻译完了。

(2)他把你的情况告诉我了。

3)谓语动词后面应该有其他成分，如“了”、“过”或其他补语等。

4)“在、到、给、成”作结果补语，后面带有表示处所、对象、结果的宾语时，一定要用“把”字句。

例如：

(1)他把西红柿带到英国。

(2)他把西红柿送给他的情人。

(3)我把这些花放在桌子上。

(4)老师把这些句子翻译成汉语。

5)“把”字句谓语动词后可以用多种补语，但可能补语不能用于“把”字句。

例如：

(1)我把那本书看完了。(结果补语)

(2)她把书桌搬出去了。(趋向补语)

(3)弟弟把课文念得很流利。(程度补语)

(4)我把这本书看不/得懂。(不可以这样说。)

二、关联词语的运用

1.先……后……；先……再……然后……最后：可以用全部，或一部分来说明事情发生的或进行的过程中，常用来表示连贯的几个动作过程，在描述运作进行的过程中，使顺序更为清晰。例如：

(1)吃烤鸭时，先把烤熟的鸭子趁热切成薄片，然后蘸上甜面酱，加上葱段，用薄饼卷着吃。

(2)我们应该先准备材料，再去交费，然后到老师那儿领课本。

(3)先把黄瓜洗干净，再切成条，然后加上盐，拌匀，最后放上其他调味品。

2.“等……就……”表示到某一个时候，就作出什么行动。例如：

(1)等菜炒熟了，就放一些酱油。

(2)等我妈妈来北京，我就带她去香山看红叶。

3.“一边……一边……”表示同时进行的动作。例如：

(1)老师讲课的时候，他一边听，一边作笔记。

(2)她在厨房里一边做饭，一边听音乐。

(3)把菜倒进锅里，要一边翻炒，一边撒上少许盐。

课堂练习

一、下列段落中的"把"字句，哪些可以换成不用"把"的句子，哪些不能。

1. 孩子们

父亲下班回家，他的孩子们围过来自按次序汇报自己在家干了什么。

"我把所有的碗都洗干净了。"老大说。

"我把碗都擦干了。"老二说。

"我把它们放到碗柜里去了。"老三说。

最后，轮到年纪最小的女孩。她小声说："我，我把碎片都收拾起来了。"

2. 找帽子

小明和他爸爸一起坐火车去探望奶奶。小明总是把头伸到窗外。于是，爸爸很快地拿掉小明的帽子，把它藏在身后，说："看，风把你的帽子吹掉了。"小明哭了，想找回帽子。

爸爸说："你吹一声口哨，你的帽子也许会回来。"小明吹了一声口哨，爸爸赶紧把帽子放在了小明的头上。

小明高兴了，他飞快地把爸爸的帽子丢到窗外。"爸爸，现在该你吹口哨了！"他得意地说。

二、改正下列病句

1. 我把脏衣服应该洗一洗。

2. 我把这些饺子吃不完。

3. 我每天把桌子上的东西整理。

4. 我的朋友把有些杂志还给我了。

5. 我的同屋藏他的脏袜子在床底下。

6. 他昨天把那封信寄出去。

7. 我旅行的时候，总是忘我的东西在旅馆里。我把决心下了，一定要改掉这个毛病。

8. 老师要我翻译一个句子成中文，我用汉语把这个句子说不出来。

9. A. 你把今天的作业应该做完。

B. 你放心，我把作业做不完就不睡觉。

三、分成小组，每人仿照下例做口头作文，介绍自己的拿手菜或某种小手工的制作方法。

要求：1. 注意"把"字句的运用；2. 可以选用下列词语：首先；然后；随后；最后；先……再……；一边……一边……等说明过程。

例：怎样做炸鸡块

先把洗干净的鸡切成块；然后把鸡蛋放在一个碗里，放上盐、味精；把碗里的鸡蛋搅匀；把鸡蛋和鸡块放在一个大碗里，拌好；把花生油放进锅里，烧热；最后把鸡块放进锅里，炸成黄色即可。

作文练习

1. 怎样准备考试/长途旅行/参加比赛

提示：可以比较具体地说明需要的东西，事先要办的事情，如旅游签证等；也可以谈谈心理上的准备。注意恰当地使用“把”字句。

2. 介绍一种游戏或介绍一项体育运动

提示：你可以介绍这种运动的由来以及发展过程，也可以重点介绍它的规则。

3. 介绍一种用具

提示：选择一种自己喜欢，也比较了解的用具，如学习用品、日常生活用品，电器、玩具、照相机等，从外型、构造、性能或使用方法等方面说明、介绍。

第 十 课

训练重点

1. 说明事物(2)
2. 被动句的运用

一、北京烤鸭

北京烤鸭是中外驰名的美味，来到北京的中外游人，在游览了故宫、颐和园和万里长城等名胜古迹之后，都要尝尝北京烤鸭。

烤鸭在中国历史悠久，早在11世纪宋代的古书中就有记载。烤鸭原来是帝王宫廷里的一道菜，后来传到民间。到了明代，北京就有烤鸭店了。著名的北京全聚德烤鸭店是1866年开办的，到现在已经有110多年了。

烤鸭跟中国的许多名菜一样讲究色、香、味。为了达到这个要求，烤炙过程是很讲究的。鸭子煺了毛以后，要洗干净，并让风吹干，然后涂上一层麦芽糖浆，在膛里灌上开水，再挂在烤炉里烘烤。炉内温度很高，要不断转动鸭身，使它均匀受热，50分钟左右鸭子就烤熟了。鸭子被烤成了枣红色，表皮又焦又脆，鸭肉又鲜又嫩。因为烤鸭时要用梨、桃、枣等一类果木作燃料，所以烤熟的鸭子有一种特殊的香甜味。

吃烤鸭时，先把烤熟的鸭子趁热切成薄片，然后蘸上甜面酱，加上葱段，用薄饼卷着吃。夏季还可以配上些黄瓜、萝卜等凉菜。吃烤鸭既是一顿美餐，也是一种美的享受。

随着中外交往的增加，北京烤鸭已经在许多国家“安家落户”了。一些国家还和中国一起开办烤鸭店，这将使更多的人可以享受到北京烤鸭这一美味了。

（选自初中《语文》。有删改。）

生　词

驰名	chímíng	famous
宫廷	gōngtíng	palace，court
烤炙	kǎozhì	roast
麦芽糖	màiyátáng	barley sugar，malt sugar
膛	táng	breast，thoracic cavity，chest
均匀	jūnyún	even
蘸	zhàn	dip in (sauce etc.)
卷	juǎn	roll up

二、骆驼市场

提示：下文介绍了一个骆驼市场，描写了市场的景象、骆驼各种姿态，也简明扼要地介绍了骆驼的市价和用途。文章中骆驼常处于被处置的状态，所以被动句较多。

在埃及首都开罗，有一个颇具传统特色的巴拉吉勒骆驼市场，它的历史可以追溯到本世纪20年代，至今仍是世界最大的骆驼交易所。

巴拉吉勒有20多个骆驼商行，它们垄断着这里的绝大部分生意。在巴拉吉勒市场每头骆驼的卖价在600至1000美元之间。骆驼肉每公斤售价为3.5美元。集市从早晨7点开市，直至下午2点结束。开市前，市场里早已熙熙攘攘，身躯高大的骆驼接踵而来，它们有的被地桩上的绳子拴住鼻孔；有的被绳子紧紧捆住而不能动弹；有的将一条前腿弯曲后在膝部用绳子捆住，只能用三条腿站立。大大小小的骆驼虽“身处逆境”，但仍昂首挺立，悠闲地晃动着长脖子。

开市后，吆喝声、棍棒声、骆驼嘶叫声、商人们的争吵声混成一片。据当地人介绍，集市上的骆驼80%被卖给肉铺，因为骆驼肉质粗而且多筋，价格只有牛肉的一半。

还有一些优秀的骆驼，会被运往中东地区的一些城市参加比赛。赛骆驼在中东一带十分流行。也有一部分骆驼仍返回沙漠去，担任“沙漠之舟”的角色。在埃及还有少数骆驼被委以重任，因为至今还保留这一支专门负责在沿海地区进行巡逻的骆驼兵部队。

（选自《环球文粹》，作者申明河。有删改。）

生　词

骆驼	luòtuo	camel
颇	pō	rather, fairly
追溯	zhuīsù	trace back
交易所	jiāoyìsuǒ	trading place
垄断	lǒngduàn	monopolize
熙熙攘攘	xīxī-rǎngrǎng	bustling
接踵而来	jiēzhǒng-érlái	following on each other's heels
桩	zhuāng	stake
拴	shuān	fasten
动弹	dòngtan	move, stir
逆境	nìjìng	adversity
吆喝	yāohe	shout
棍棒	gùnbàng	stick, cudgel
委以重任	wěiyǐzhòngrèn	entrust with important task
巡逻	xúnluó	patrol

三、上海——旧金山友谊图书馆

美国旧金山市最近向上海市图书馆捐赠了一批图书，被放在外文馆中，称为上海—旧金山友谊图书馆。在这个只有10排书架的小图书馆中，却有不少美国文学中的精品，是一个难得的阅读原版的文学角。

在二战以后的美国文学上，旧金山是一个重要的城市，那里出现了许多知名的作家。劳伦斯·费林盖梯编著了一本关于旧金山文学发展史的书，以大量真实的照片对此进行了生动的记载。费林盖梯本人也是诗人，还创办了著名的城市之光书店。旧金山是一个与中国有着密切关系的城市，在这本书中，我们能感受到东方文化对美国现代文学的影响。

在中国，现在比较注意研究国外的“后现代文学”。其实，这一流派在美国已经存在较长一段时间了。约翰·巴思和唐纳德·巴塞尔姆就是两位受人推崇的作家。喜欢“后现代”的读者是不会错过他们的短篇小说集的，尤其是巴思的《迷失在开心馆》中。

《第22条军规》是中国读者熟悉和喜爱的美国现代派小说之一。现在你在友谊图书馆不仅可以读到这本小说的原著，而且还能读到作者约瑟夫·海勒1994年写的续集《打烊》。作为黑色幽默文学的代表人物，海勒的另一本讽刺佳作《像黄金一样好》也是值得一读的。

“垮掉派”是美国战后重要的文学流派，在图书馆有他们大量的作品。除了杰克·凯鲁亚克和威廉·巴勒斯各有五六种小说被陈列之外，还有不少其他“垮掉派”的重要作家的作品，如诗人加里·施泰德的诗歌集。他是一位十分亲近东方文化的人，他的作品风格格外清新。

（选自《新民晚报》1997年12月8日，作者谢旺。有删改。）

生 词

捐赠	juānzèng	contribute (as a gift)
原版	yuánbǎn	original edition
流派	liúpài	school, sect
推崇	tuīchóng	praise highly
军规	jūnguī	military discipline
打烊	dǎyàng	close the store for the night
讽刺	fěngcì	satire

说 明

一、被动句

在上面的范文中，都出现了不少被动句。被动句常常出现在不愿意说出或不需要说出施事者，或不知道施事者的句子中。被动句的基本句式有以下两种：

1. 有介词“被”的被动句：

受事主语＋被＋施事者＋动词＋其他成分

例如：

(1)小桥被洪水冲走了。

(2)这个学生被学校开除了。

"被"后的宾语可以用表示泛指的"人",这时发出动作的人往往是无须指明的 。例如:

(1)我的自行车被人借走了。

(2)她不怕被人笑话。

"被"后没有宾语,例如:

(1)衣服被淋湿了。

(2)她被吓坏了。

2.意义上的被动句:汉语中,有被动意义的句子不一定用带"被"的句子。如果受事主语不可能被理解为施事者时,就可以不用"被"字,而用意义上的被动句。例如:

(1)汽水喝光了。

(2)这篇文章改了三遍。

(3)鸭子煺了毛以后,要洗干净。

3.被动句使用中应注意的问题:

(1)没有支配或影响作用的动词一般不能充当"被"字句中的谓语动词。

(2)"被"字句中的谓语动词后面一定要有其他成分,但可能补语不能出现在"被"字句动词谓语后。

二、"有的……有的……有的……"在描述场景时,可用来列举出各种不同的动作、活动等。例如:

1.集市上的骆驼有的被地桩上的绳子拴住鼻孔;有的被绳子紧紧捆住而不能动弹;有的将一条前腿弯曲后在膝部用绳子捆住,只能用三条腿站立。

2.下午两节课后,学生们都喜欢在操场活动,有的在跑道上跑步,有的在足球场踢足球,有的在教练的带领下,练习剑术或者太极拳。

课堂练习

一、指出下列句子中的被动句

1.她为这件事苦恼了很久。

2.我的自行车借给同学了。

3.汽水喝光了。

4.我早就把他的名字忘了。

5.他的意见没被重视。

6.这篇文章已经写好了三分之一。

7.我们都理解你的心情。

8.那本书我看了两遍。

9.窗户擦得干干净净的。

10.闹钟的铃声把我吵醒了。

二、把下列句子改成被动句

1.他把你的自行车修理好了。

2.因为他的汉语很好,公司派他来中国开辟新的市场。

3. 我昨天就把那本杂志还给图书馆了。

4. 一位中国诗人早就把歌德的诗翻译成中文了。

5. 洪水把那座小桥冲垮了。

6. 他们把教室打扫得干干净净。

7. 大雨淋湿了他的衣服。

8. 警察抓住了那个小偷。

9. 我用坏了妈妈的钢笔。

10. 大火烧毁了那片树林。

三、阅读下列段落，根据自己的想像将下列段落的内容扩展成一个小故事，并在小组中讲述，要用三个以上被动句

一天，张先生骑自行车上班，路上有位不相识的小姐拦住了他的车，说前面堵车，而她急着要去参加考试。张先生就带这位小姐去考场。一位张先生的熟人看见这件事，就打电话告诉张太太。张太太气坏了，不相信张先生的解释，吵架吵了三个月，两个人终于离婚了。

四、小组活动

1. 模仿范文二、三介绍自己熟悉的市场、商业街、饭馆、图书馆等。注意恰当使用被动句。

2. 讨论可以从哪些方面来介绍说明这些地方，例如位置、外观、规模、商品的种类和特色、买卖方式等等。

例如：

(1)这个可以容纳近万人的购物中心位于这座城市的东部。原来这里只是一些零散的小商店，去年才建成了一个大规模的商业中心。

(2)水果市场的买主大都是一些小商店或者水果摊的老板，他们有的大声跟卖主讨价还价，有的四处张望，寻找着需要的货物。

(3)临街而设的货架上摆满了各种应时鲜果。

(4)水产市场早上九点开市，一直到傍晚夜色降临，卖主才收拾起他们的货物。

作文练习

写一篇说明文，说明一个你熟悉的事物，注意被动句的运用，下面的题目可供参考：

1. 介绍自己熟悉的一个自由市场

提示：以上两个题目可以结合课堂上小组讨论的内容选择介绍的对象。

2. 介绍本国的一个纪念日

提示：可以叙述纪念日的由来，是纪念谁的？关于他/她的故事，以及有些什么纪念活动等。

3. 介绍本国或自己熟悉的某个地区的一种风俗习惯

第十一课

训练重点

1. 介绍处所
2. 描写景物
3. 存现句的运用(1)
4. 表示空间转换的语句

一、我家的房间布置

我家住着两间朝南的平房。一走进我家,给人突出的印象就是书多。

一进门,迎面就是两个一人多高的大书厨,将房间一分为二,里面全是当语文老师的爸爸的各式各样的文艺书刊,上面常常锁着,原来是怕我翻乱了他的“精神食粮”。

经过左边的房门进入里间,南窗前放着一个大办公桌。右上角放着印有名人名言的台历。左上角放着电风扇。夏天晚上学习工作时,妈妈就把它放在桌子底下,用它驱赶蚊子。办公桌左边,有一个高两米的玻璃书橱,里面放着爸爸手头常用的书。办公桌右边有一个五层藤书架,同左边的书橱相对立着,上面放满了做化学老师的妈妈的各种教材和参考书。房门右边有一个壁橱,共三层,那上面就是我的书。童话、寓言、诗歌、历史,什么都有。壁橱下面是两个大沙发,每天下班回家,爸爸妈妈总是坐在上面,一边休息,一边阅读当天的报纸。沙发中间是一个大茶几,上面摆着《辞海》、《化学词典》等工具书。

沙发右边是一个五斗橱,上面放着电视机。房间正中放着一张方桌,每天晚饭后,我和妈妈就面对面坐下学习、工作;而爸爸总是占据那张大办公桌。靠后墙,安放着一张陈旧的大床,在时髦的年轻人看来,早该"退休"了,但是爸爸妈妈从不把它放在心上。

从我家的房间布置上,你可以看出。这是一个普普通通的教师家庭。

生 词

寓言	yùyán	fable
占据	zhànjù	occupy
陈旧	chénjiù	old-fashioned
时髦	shímáo	fashionable

二、繁　　星

提示:这是一篇文字优美的写景的散文。其中有一些表示某一位置有什么东西存在的存现句,阅读的时候注意这种存现句的使用。

我爱月夜,但我也爱星天,从前在家乡七八月的夜晚在庭院纳凉的时候,我最爱看天上密密麻麻的繁星。望着星天,我就会忘记一切,仿佛回到了母亲的怀里似的。

三年前我在南京时,我住的地方有一道后门,每晚我打开后门,便看见一个静寂的夜。下面是一片菜园,上面是星群密布的蓝天。星光在我们的肉眼里虽然微小,然而它使我们觉得光明无处不在。那时候我正在读一些关于天文学的书,也认得一些星星,好像它们就是我的朋友,它们常常在和我一起谈话一样。如今在海上,每晚和繁星相对,我把它们认得很熟了。我躺在舱面上,仰望天空。深蓝色的天空里悬着无数半明半昧的星。船在动,星也在动,它们是这样低,这是摇摇欲坠呢!渐渐地我的眼睛模糊了,我好像看见无数萤火虫在我的周围飞舞。海上的夜是柔和的,是静寂的,是梦幻的。我望着那许多认识的星,我仿佛看见它们在对我眨眼,我仿佛听见它们在小声说话。这时,我忘记了一切。在星的怀抱里,我微笑着,我沉睡着。我觉得自己是一个小孩子,睡在母亲的怀里了。

(作者巴金。选自初中《语文》)

生 词

繁星	fánxīng	an array of stars
纳凉	nàliáng	enjoy the cool
仿佛	fǎngfú	seem, as if
密密麻麻	mìmì-mámá	thickly dotted
摇摇欲坠	yáoyáo-yùzhuì	shaking and about to fall
萤火虫	yínghuǒchóng	glowworm
柔和	róuhé	soft
梦幻	mènghuàn	dream
静寂	jìngjì	silence

三、灯光辉煌的南京路

提示:下文描写作者一次夜逛南京路的经历,眼前的景物随着人的位置变化而变化。这种以空间变化为顺序的描写,使文中展现出的景物层次分明。文章中用了不少成语,使表达更为精练准确。

正月十五元宵夜,人们都要找个观灯赏月的去处。上海人一般都到江南名园豫园商场观看传统灯彩,还时兴逛逛繁华的南京路。

今年元宵节,上海却逢难得的好天气。据气象台报道,最高温度达25.7度,打破了上海120年来2月上旬最高气温的历史记录。人们脱去了臃肿的冬装,换上了轻便的春服,纷纷走出家门观赏节日的夜景。

站在南京路西藏路口的立交桥上,只见一轮明月当空照,商业街呈现出一片辉煌。商厦、商场、精品屋鳞次栉比,彩灯、霓虹灯广告绚丽缤纷。彩色泛光灯把高低错落、风格迥异的建筑物照得如同仙境。面对灯月辉映的良辰美景,人们情不自禁地举起摄像机、照相机,留下这美好的时光。

沿着南京路往东走,只见家家商店橱窗布置得美不胜收。

店堂里、货架上各色商品琳琅满目，勾起过往行人强烈的购物欲。酒楼、饭馆、餐厅里挤满了一家家前来吃团圆饭的老老少少。元宵、汤团等节日食品，以及中外美味佳肴、地方小吃，使大家大饱口福。娱乐城、歌舞厅吸引了一群群年轻人。孩子们手里拿着一盏盏花灯，在街上流连忘返。

沿着南京路往西走，从人民公园到静安寺，一路上同样是景色宜人。彩灯把上海展览中心这座古典式建筑打扮得赏心悦目。高耸入云的镏金塔在夜空中熠熠发光。与之相对的上海商城是目前上海最高的建筑物，这座摩天大楼给人们带来了强烈的时代气息。上海这座世界名城在节日灯光的照耀下，节日气氛的笼罩中，更具有迷人的魅力。

（作者史美圣）

生　词

鳞次栉比	líncì-zhìbǐ	row upon row of (houses etc.)
绚丽	xuànlì	bright and colourful
错落	cuòluò	irregular, random
迥异	jiǒngyì	widely different
仙境	xiānjìng	fairyland
良辰美景	liángchén-měijǐng	beautiful scene on a bright day
情不自禁	qíngbùzìjīn	cannot refrain from
美不胜收	měibùshèngshōu	too beautiful to be absorbed all at once
琳琅满目	línláng-mǎnmù	a great variety of beautiful things
美味佳肴	měiwèi-jiāyáo	delicious food
流连忘返	liúlián-wàngfǎn	enjoy oneself so much as to forget to go home
高耸入云	gāosǒng-rùyún	soar up to the sky

四、家乡的小河

提示：这篇文章以四季变化即时间的推移为主要线索描写景物。

我的家乡是个依山傍水的山村，我爱那里的一草一木，尤其是那里的小河。

小河清澈、碧绿、恬静，令人神往。远看它是那么绿，仿佛是一条翡翠色的绸带；近看它又是那么清，清得可以看见水中游动的鱼虾。晚上，弯弯的月亮在小河上留下倒影，小河显得那样温柔、美丽。

春天，明媚的春光照在河面上，微风吹过，水面上荡起一道道波纹。映在水中的绿树青山，一会儿聚拢，一会儿散开，像调皮的鱼儿在那里游玩。

夏天，小河涨水了。火热的阳光下，孩子们像泥鳅一样在河里洗澡、嬉戏，水面上溅起一朵朵雪白的浪花。傍晚时分，男人们在河里洗澡，女人们在河边洗衣服，有说有笑。小河静静地流着，冲走了人们一天的劳累。

秋天，小河里的鱼虾肥了，孩子们都爱到河里去捉鱼虾。提起捉鱼可真不是一件容易的事儿。它们太滑了，一伸手，它们就从你的手指缝里溜走了。对付水中的呆子——虾，可就容易多了。

冬天，北风吹过河面，雪花漫天飞舞，小河披上了白纱，两岸的土地上也盖上了厚厚的“棉被”。孩子们仍常常去到小河结冰的河面上滑冰、打陀螺……

迷人的小河，一年四季都充满了微笑。

（节选自《新语文》，作者赵勇。）

生　词

依山傍水	yīshān-bàngshuǐ	situated at the foot of a hill and beside a stream
清澈	qīngchè	clear
恬静	tiánjìng	tranquil
神往	shénwǎng	enchanting
翡翠	fěicuì	jade
倒影	dàoyǐng	inverted reflection
陀螺	tuóluó	whipping top

一、存现句的运用(1)

1)存现句的主要作用是描写客观环境，例如：

(1)桌子上放着一本《汉英词典》。

(2)树上长满了又大又红的苹果。

(3)靠墙放着一排高高的书架。

(4)夜空缀满了闪烁的星星。

(5)孩子们像泥鳅一样在河里洗澡、嬉戏，水面上溅起一朵朵雪白的浪花。

(6)北风吹过河面，雪花漫天飞舞，小河披上了白纱，两岸的土地上也盖上了厚厚的“棉被”。

(7)教室里坐着许多来听哲学讲座的学生。

(8)我的书架上放着几本刚买来的书。

2)存现句也常用来叙述某个处所或时间有什么人或事物出现、存在或消失。例如：

(1)我们班又来了两个新同学。

(2)前面开来了一辆黑色的小汽车。

(3)昨天搬来了一个新邻居。

(4)去年这里毕业了 30 个同学。

(5)菜场北边有一个新建的图书馆。

(6)留学生食堂前面站着一些准备吃饭的学生。

二、表示空间的转换：介绍描写某个地方，常常以空间的变化为线索，范文中有不少表示空间转换的语句

1. 范文一中自然地根据空间的转换介绍环境，例如：

(1)一进门，你就可以看见……

(2)经过左边的房门进入里间……

2. 范文三中作者根据自己位置的变化，即以空间的转换为顺序，描写景物，例如：

(1)站在南京路西藏路口的立交桥上，只见……

(2)沿着南京路往东走，只见……

(3)沿着南京路往西走，从人民公园到静安寺，一路上……

课堂练习

一、完成下列存现句

1. 桌子上(　　　　)他刚买来的书。

2. 校门外(　　　　)几辆出租汽车。

3. 前面(　　　　)一群小学生。

4. 花园里(　　　　)五颜六色的鲜花。

5. 厨房里(　　　　)一阵饭菜的香味。

6. 我家隔壁(　　　　)一户新邻居。

7. 剧场里(　　　　)观众。

8. 售票处门口(　　　　)买足球票的球迷。

二、仿照下列段落描写自己的家乡或某个喜爱的地方的风景

1. 我的家乡在南方山区。那儿到处都是山。山上长满了青青的竹子、高高的杉树，空气中

散发着阵阵清香。我们放学后最喜欢到山上去采野花、野果。山谷里有一条小河,河边总是传来洗衣服的女人们的欢笑声。

2.我们的宿舍楼在学校的东边,楼前停着很多自行车,那是我们最重要、最方便的交通工具。一进大楼就可以看见服务台,里边坐着服务员,来留学生楼会客的人都要到那儿登记。服务台左边是两门电梯,每当上下课的时候,电梯里边总是挤满了学生……

三、选用下列表示空间转换的词语写一段话

1.站在山脚下,抬头可以看见……;走到半山腰……;爬上了山顶,从上往下看去……

2.我家的客厅里放着……,走进我的卧室……;正对着我的房间是……;走出后门,是一个小小的花园……

四、分小组选作以下活动

1.每人准备好一张风景照片或图片,其他同学根据图片描述风景,要求恰当使用存现句。

2.大家一起用适当的语句介绍自己的校园。可以分别介绍某处,如图书馆、花园、教学楼前、宿舍区、运动场等,再由其他同学补充。

作文练习

提示:1.学习按照空间的转换描写场景、景物。注意学习运用空间转换的词语、句式,使过渡自然。2.学习范文,恰当地使用存现句。

1.我的宿舍/家

2.介绍的一座建筑/一个公园等

3.我的家乡

4.美丽的城市……

第十二课

训练重点

1. 具体数据介绍、说明事物
2. 数量的表达

一、《玩具总动员》的“数字报告”

提示：这篇短文介绍了一部动画片的制作情况，其中引用了很多数据，注意表达数量的语句。

《玩具总动员》是一部充满幽默、趣味的惊险动画片，其电脑制作合计用了两年半时间，共有 80 万个电脑工作小时。全片 11 万 4 千多格画面，每一格画面的平均制作时间为 20 个小时。

这部电影参与制作的工作人员超过 110 人，平均年龄不到 30 岁。全片共有 76 个角色、366 个物件。从角色剧本构思到真正完成，一共费时四年，几乎是真人电影的两倍多。

片中的小主人安迪头上有 12384 根头发，小狗头上的发毛有 15977 根，而且每根头发都是会动的。安迪家周围的树木超过 100 棵，共有一万片以上的树叶，每片树叶都有不同的活动方式。

（节选自《今晚报》。）

生　词

动员　dòngyuán　mobilization

惊险	jīngxiǎn	thrilling
构思	gòusī	design

二、故　宫

北京的故宫又叫紫禁城，是明清两代的皇宫，坐落在老北京城的中轴线上，到现在已有 560 多年的历史，是中国规模最大、保存最完整的帝王宫殿和古建筑群。故宫占地面积约 72 万平方米，建筑面积大约 15 万平方米。共有殿宇 9999 间半。如果一个婴儿出生后在每个房间住一天，等他把所有的房间都住上一遍时，已经是 27 岁半的成年人了。

太和殿、中和殿和保和殿是故宫的三大殿。太和殿是其中最大的一座，高 28 米，面积 2380 多平方米。太和殿又叫金銮殿，建于 1420 年，是中国最后两个封建王朝举行大典的地方。保和殿的云龙雕石，是皇宫里最大的一块雕石，长 16.57 米，宽 3.07 米，重 200 多吨。

现在故宫是中国最大的艺术博物院，目前已收藏 90 万件历史文物和艺术品。

生　词

紫禁城	Zǐjìnchéng	the Forbidden City
殿宇	diànyǔ	palace
金銮殿	Jīnluándiàn	the Hall of Golden Chimes (emperor's audience hall)
收藏	shōucáng	collect
文物	wénwù	cultural relic

三、自由女神像

举世闻名的自由女神像，高高耸立在纽约港口的自由岛上，象征着美国人民争取自由的崇高理想。

自由神像重 45 万磅，高 46 米，底座高 45 米。她身着古罗马长袍，头戴光芒冠冕，右手高举长达 12 米的火炬，左手紧抱一部美国独立宣言，身体微微前倾，神态端庄自然。在塑像内部还有168阶螺旋形楼梯，游人可从那儿登上塑像顶部。在女神冠冕下有25个窗口，可以俯瞰纽约景色。

这座塑像是法国雕塑家巴托尔迪创作的。1865年，巴托尔迪在别人的建议下，决定塑造一座象征自由的塑像，由法国人民捐款，作为法国政府送给美国政府庆祝美国独立100周年的礼物。有趣的是，没过多久，巴托尔迪与一位叫让娜的姑娘相识。让娜美丽端庄，巴托尔迪请她为自由神像作模特。在雕塑过程中，他们产生了爱慕之情，并结为夫妻。

1869年自由神像草图设计完成，巴托尔迪便开始投入雕塑工作。1876年，他去美国费城参加庆祝独立100周年的博览会时，把自由女神执火炬的手拿到博览会上展出，引起了轰动。摆在人们面前的手仅食指就长达2.44米，直径1米多，火炬的边缘可以站12个人。

1884年7月6日，自由女神像正式赠送给美国。1886年初，75名工人爬上高高的脚手架，用30万只铆钉把自由女神像的约100块零件钉到它的骨架上。10月28日，美国总统亲自参加揭幕仪式并发表了讲话。无数群众簇拥在女神像的周围，仰望着女神像第一次露出她庄严的面容。

生 词

冠冕	guānmiǎn	royal crown
神态	shéntài	manner, expression
俯瞰	fǔkàn	look down over
端庄	duānzhuāng	dignified
草图	cǎotú	draft, rough plan
铆钉	mǎodīng	rivet
簇拥	cùyōng	cluster round

四、救救地球

提示：环境问题是人们关心的问题，而说明环境问题的严重性，最有说服力的办法是通过一些数据说明实际情况。这篇文章用惊人的数字摆明事实，并发表议论。阅读短文时注意表示数量的词语和句式。

1987年7月11日全世界上人口已达50亿。以后每过一分钟时间，地球上的人口就净增150人，每天增加22万，每年增加8000万。照此速度，到本世纪末，世界人口将达到63.5亿。许多专家认为，世界维持合理健康的人口限度是100亿左右。这就是说，至多再过70年，地球人口就要达到人类生存的临界线，地球将陷入人满为患的困境。

地球上水资源的97%在海洋，3%在陆地，然而随着人口剧增，工业发展和人们生活水平的提高，用水量不断增加。公元前一个人每天耗水12升，而现在发达国家大城市人均每天耗水500升。大海和江河原是一片净水，如今被人们倒进许多废弃物，成了天然垃圾箱，造成严重水流污染。工业发达国家的众多汽车和工业区排放的硫、氧化物，每年约有2亿吨。经大气化学反应变成酸雨，酿成灾害。它使加拿大2000个湖泊成为“死湖”，德国的60万公顷森林枯萎。美国雨水中酸度增加10至40倍。全世界的森林面积正以每年2000万公顷的速度递减。到1985年，已从极盛时期76亿公顷，降为41.47亿公顷，而且被毁坏的森林面积还在以每年600多万公顷的速度扩大。

地球正面临着严重的危机，保护自然环境是我们每个人的职责。

生 词

净	jìng	net
临界线	línjièxiàn	critical line
人满为患	rénmǎn-wéihuàn	be overcrowded
剧增	jùzēng	sharp increase
递减	dìjiǎn	decrease progressively
递增	dìzēng	increase progressively

说 明

一、表达数量时常用的词语

1. 达到

(1)照此速度,到本世纪末,世界人口将达到 63.5 亿。

(2)去年粮食亩产达到 1000 斤。

2. 超过

(1)这部电影参与制作的工作人员超过 110 人。

3. 不到

(1)这支足球队的平均年龄不到 30 岁。

(2)我们厂今年电视机的总产量不到 10 万台。

4. 平均

(1)我们班平均每个人种了 4 棵树。

(2)我期末考试各门课的平均成绩是 80 分。

5. 共有

(1)安迪家周围的树木超过 100 棵,共有一万片以上的树叶。

(2)这家博物馆收藏的古画共有 136 幅。

6. 以……的速度增加/递减

(1)全世界的森林面积正以每年 2000 万公顷的速度递减。

(2)我们学校的学生人数以每年 120 人的速度增加。

7. 长/高/多达

(1)右手高举长达 12 米的火炬。

(2)摆在人们面前的自由女神的手,仅食指就长达 2.44 米。

(3)这家商场每天的的营业额高达 30 万元。

二、表示概数的常用词语

1. 大约

(1)这里到最近的加油站大约要开 20 分钟。

(2)你们大约要用多长时间完成这项工作?

2. 约有

(1)我们学校今年约有 120 名新生。

(2)这两个城市之间的距离约有 300 公里。

3. 以上

(1)今年我们村的粮食产量在 12 万公斤以上。

(2)你的各科平均成绩是否达到 80 分以上?

4. 以下

(1)他们估计这个月产品的不合格率已经控制在 2% 以下。

(2)这个地区的出生率已经控制在 2.2% 以下。

5. 上下

(1)它们的奔跑速度在每小时 50 公里上下。

(2)这个班的学生年龄都在 20 岁上下。

6. 左右

(1)世界维持合理健康的人口限度是 100 亿左右。

(2)这家工厂 80% 左右的产品质量达到一级。

7.多

(1)这座桥有 200 多米。

(2)她一去就是两年多。

8.来

(1)他有 20 来年没有跟老同学联系了。

(2)我们一共才买到 100 来套教材。

三、汉语数量增减的习惯用法

1."增加(了)"、"增长(了)"、"上升(了)"、"提高(了)"不包括底数,只指净增数。比如从 10 增加到 50,应该说"增加了 40"或"增加了 4 倍"。

2."增加到/为"、"增长到/为"、"上升到/为"、"提高到/为":包括底数,指增加后的总数。比如从 10 增加到 50。应该说"增加到 50"或"增加到 5 倍"。

3."减少了"、"降低了"、"下降了"指差额。比如从 10 减少到 1,应说"减少了 9"或"减少了十分之九"。

4、"减少到/为"、"降低到/为"、"下降到/为",指减后的余数。比如从 10 减少到 1,应说"减少到 1"或"减少到十分之一"。

课堂练习

一、用列举的词语填空

达到,以……速度/价格,约有,共有,增加,降为,超过,上下,百分之……

1.这家公司今年有了很大的发展。去年他们的总产值为 280 万元,今年(　　)350 万元,(　　)70 万元。

2.这列火车(　　)每小时 100 公里的(　　)前进。

3.夏天来这里旅游的人比冬天(　　)了 5 倍。

4.这个月本市的交通事故从上个月的 35 起(　　)28 起。

5.每个夏天来这座城市旅游的人(　　)10 万。

6.这个学校的学生已经(　　)3000 人。

7.公司不同意(　　)每台 3000 元的(　　)出售这种彩电。

8.我昨天记了 25 个生词,今天增加到 4 倍,记了(　　)个。

9.我的体重以前保持在 70 公斤(　　),可是今年大大(　　)了,所以我想减肥。

10.这个学校的女生占全校人数的(　　)四十。

二、范文三中有不少表示自由女神像外形以及重量等的数量词语;找出这些语句,自己写一段文字,用类似的方式描述你熟悉的物品或建筑。例如:计算机、录音机、衣柜、书架或某处名胜古迹、饭店、百货大楼等。

三、分成 3—4 人小组,结合范文四中提出的问题,讨论下列问题。要结合自己的体会,并列举一定的数据。

1.介绍有关环境问题中的一个事例(书报上的或亲自了解的),说明环境保护的重要性。

2.介绍城市交通的现状,说明改进交通的必要性和紧迫性。

作文练习

一、《救救地球》提出了地球面临的一些严重问题：人口问题、水资源问题、工业污染问题等等。文章中用了一些数据材料来说明问题。你也可以试着用自己的见闻或了解到的情况为材料，具体说明情况的严重性，以及保护环境的重要性。

参考题：1. 谈世界人口问题

2. 怎样避免水流污染

3. 人类面临的严重问题——工业污染

4. 街道的噪音污染

二、大学的图书馆

提示：可以介绍它的规模和藏书，以及借书规则等。

三、我国的教育制度

提示：可以对入学年龄、入学率、学校的种类以及入学标准、考试制度等作介绍。

四、……的交通

提示：介绍自己熟悉的某个城市的交通情况。如：主要交通工具、乘客比例、价格、乘客、高峰时间等。

第十三课

训练重点

1. 描写人物
2. 存现句的运用(2)

范　文

一、我的父亲

八年前的这个时候,父亲永远地离开了我们。那年,他才39岁。

那个夜晚,满天的星星,很美。然而,弥留之际的父亲身边却没有一个亲人,因为病发作得太突然了。同室的病友后来告诉我们,他一遍又一遍地唤着我和母亲的名字,泪流满面。每每想到这些,我都不禁潸然泪下。在我的记忆中,他从来没有掉过泪。

父亲方脸膛,个子并不高,但是显得很魁梧。他那厚实的肩头,是我常常熟睡的地方。父亲总是穿着一双皮鞋,虽然穿了很多年,仍擦得黑亮黑亮的。走起路来,步子很大,很稳健,我老远就能听出他的脚步声。小时候我不愿意跟他一起上街,因为我即使小跑也跟不上他。父亲有时很严厉,我学习不用功时,他就说我"朽木不可雕";但他性格一点儿也不刻板,说话风趣幽默,高兴起来还用胡子扎得我脸上又痒又疼,我们爷儿俩又笑又闹,小屋里充满了欢乐。他似乎什么都会,以至我小小的心灵里总觉得他是无所不能的。

父亲是一家一千多人的工厂的厂长,工作很忙,很少有时间在家里陪我们。那时的生活并不宽裕，但我认为自己拥有一个最幸福的家庭。母亲有时会责怪他把家里当作旅馆，只有吃饭、睡觉才回来。他并不反驳，只是笑笑。我常常会在夜晚睡下很久后听见他用那一大串钥匙开门的声音，而后是书桌上的台灯被"啪"地打开，朦胧中有父亲熟悉的背影闪现。

母亲常讲，"你要有你爸爸的一半就够了。"言语中除了期望，分明有一种自豪。因此，父亲的去世给了母亲沉重的打击。她默默地把那期登载父亲去世噩耗的报纸锁进抽屉，把那份爱永远珍藏起来。那段日子里，我们常常相对无言，家里显得特别空荡冷清。

时间的流逝，带来了母亲的苍老和我的成长。然而我父亲坚毅、勤勉的形象已经永远铭记在我的心中。他不断激励我去实现母亲的期望，甚至更多、更高。我想，当"朽木"成材时，他一定能看见的。

（节选自《语文教学与研究》，作者汪诚。）

生 词

弥留	míliú	be dying
潸然泪下	shānrán-lèixià	tears trickling down one's cheeks
魁梧	kuíwǔ	tall and strong
宽裕	kuānyù	well-off
登载	dēngzǎi	publish (in newspapers or magazines)
噩耗	èhào	awful news, bad news
珍藏	zhēncáng	treasure
流逝	liúshì	passing
勤勉	qínmiǎn	diligent
朽木不可雕	xiǔmù bùkě diāo	rotten wood cannot be carved; a useless person

二、邻居张先生

提示：这篇文章通过一些具体的事情来写人物。作者讲述自己在练习写作的过程中，邻居张先生如何热心指导和耐心帮助自己，从而表现出了张先生的为人。

退休后，带着失落，曾随丈夫去北欧半年。在那里，我被北欧老人勤奋好学、锻炼身体、争取再就业的精神所打动。回国后,在强烈的写作冲动的驱使下,写下了《不可以说老》等文章。因暂时无处发表而搁置一旁。后来带着文章回到久别的家乡上海。听姐姐说,邻居中有叫张之江的离休记者,虽年过七旬,仍热衷于事业,是上海市的"老有所为"先进工作者。

不久,结识张老的机会来了。我们家和张家正好同请一位钟点工保姆,姐姐说要去向他们问问情况。我和姐姐一起去了张先生家,出现在我面前的是一位满头银发的老人。

他招呼着依然美丽的夫人,为我端来喷香的龙井茶。老夫妇俩随和的神态使我霎时消除了拘束。我抓紧时机捧上文稿求教,张老当即戴上花镜进行审阅,接着连声鼓励,并答应帮我试投。我忐忑不安地等待消息。

不出半月后的一个黄昏,张老兴冲冲地拿着当天的晚报敲开了我的家门。他带着纯真的笑容,欢天喜地地大声说:"你的文章见报了。"说真的,这些年来我很少见到为别人取得成果而高兴得如此真诚的模样了。张老帮助我这个退休后感到寂寞、无聊的人,迈出了人生道路上新的一步,我的感激之情自然是难以言表的。

以后,我提笔写国外见闻,感受,一发而不可收。有时去向张老请教,他常常以短短数语加以指点:要像摄影师一样,带读者去扫视生活;写新闻不宜过长;写人物要突出个性特点……总是言简意赅,使我获益匪浅。

回到北京,看到自己一篇篇见报的文章,总会想起我的邻居,也是我的写作老师——张之江先生。

(节选自《光明日报》,作者郭美春。)

生 词

失落	shīluò	lose;loss
驱使	qūshǐ	prompting
热衷	rèzhōng	hanker for,be keen on
保姆	bǎomǔ	housekeeper
忐忑不安	tǎntè-bùān	uneasily,restlessly,impatiently

无聊	wúliáo	bored
言简意赅	yánjiǎn-yìgāi	concise and comprehensive
获益匪浅	huòyì-fěiqiǎn	reap considerable benefit

三、我的美国老师

提示：作者写了自己的一位英语老师。文章通过对人物的动作、言谈、举止的描写，反映出老师的不拘小节、洒脱的性格。课堂表演的描写，用了一系列生动准确的动词："提前……抓住……塞……扭打……报案……扮着……"等，描述各人作出的动作，生动地表现出课堂上活跃的气氛。

我刚到美国时，来接我的丈夫见到我的第一句话竟然是："怎么样？还得努力学习吧？我已经给你报了名，后天就送你去英文学校。"我有些委屈，自己好歹是个博士，现在居然要去语言学校。

丈夫带我去参加语言学校的考试，一考便把老师吓了一跳，说："这么好的英文，我们教不了你。"原来我们中国人英文语法记得清，我居然考了 100 分！丈夫解释说："老师，您一定要收下她，她是光会考试，不会说。"学校同意收下我，但把我安排在高级班。

班上一共有 20 多个同学，三分之二是俄国人。老师是一个高高个子的美国人，叫莉娜。我们从周一到周四的课全是她一个人教。她从不发课本，每天是一个即兴讲话，然后大家发言讨论，教室里挂满了她、她的两个女儿和她丈夫的照片。莉娜有时候跳到桌子上坐着讲课，有时在教室里边踱步边讲课；有时她穿着一双大拖鞋，有时穿件大背心、大短裤；有时她一个人演剧，她扮演着警察、小偷、好吃的顽童，她还把每个学生的特征表演给我们看。比如，她学卡西里，从俄国来的移民，曾经是俄国一家大工厂的工程师，最喜欢问为什么；她又学佐藤，那位嫁给美国人的日本妇女，一上课就埋头做笔记，手忙脚乱的；她也学我，一下课就往隔壁班乱跑，找中国人聊天，聊得迟到。莉娜也常把她各种各样的朋友带到教室来，跟她一块儿表演。

有一次她问一个俄国人，爱不爱美国，俄国人说爱，她说那为什么老说美国怎么怎么样，你们现在也在美国，而且都是移民身份，你们一定要爱这个国家，不要自己把自己同这个国家区分开来。

莉娜从不布置任何习题，只是不停地说，也让我们开口说。我们先是看她表演，后来我们自己表演，我演一个正在银行偷钱的小偷，手上提着一个大布袋子，俄国姑娘达莎演警察。当达莎抓住我时，莉娜塞给我一把玩具手枪，我和达莎便扭打起来，另一位同学便装成行人去报案，唤来十多个警察（所有的同学都是警察）把我扭到警察局。莉娜扮作律师，问我问题……大家天天看剧、演剧，一个个英语字正腔圆，能言善辩，进步飞快。

莉娜 54 岁那年修完了教育学硕士，开始从事英语教学工作。她有一套自己独特的教学方法。除了演剧看剧外，我们还做文字游戏，全班同学每人手拿一个字母。大家拼单词，看谁拼得快拼得多。下课回家，莉娜要我们念当地英文报纸和看电视，第二天上课讲出主要内容来。

短短几个月，我的英文有了很大的提高。莉娜真是一个好老师！

（节选自《海外文摘》，作者夏小舟。）

【生　词】

委屈	wěiqu	feel aggrieved or wronged
好歹	hǎodǎi	at any rate
即兴	jíxìng	impromptu
扭打	niǔdǎ	grapple
报案	bào'àn	send for the police, report a case (to the authorities)
字正腔圆	zìzhèng-qiāngyuán	with clear articulation and melodious tone
能言善辩	néngyán-shànbiàn	be skilled in debate

说　明

一、存现句的运用(2)

存现句还可以用来描述人物的穿着、打扮、表情、动作。

例如：

1.他上身总是穿着一件洗得发白的衣服。

2.她圆圆的脸上挂着微笑。

3.我的朋友左手拿着一本杂志，右手提这一个旅行袋。

4.老师的脖子上围了一条漂亮的围巾。

5.她手指上戴着一只戒指。

二、描写人物的词语

1.描写人物外貌

(1)弯弯的眉毛 wānwān de méimao：她弯弯的眉毛下面长着一双会说话的眼睛。

(2)浓眉大眼 nóngméi-dàyǎn：浓眉大眼的小伙子。

(3)高高的鼻梁 gāogāo de bíliáng：高高的鼻梁上架着一副眼镜。

(4)英俊 yīngjùn：英俊的小伙子；这个年轻人长得很英俊。

(5)清秀 qīngxiù：这个女孩长得清秀可爱。

(6)苗条 miáotiáo：身材苗条；苗条的姑娘。

(7)丰满 fēngmǎn：那位中年妇女体态丰满。

(8)圆圆的脸/瓜子脸 yuányuán de liǎn/guāzǐliǎn：她长着一张圆圆的脸/瓜子脸。

2.描写人物性格特点

(1)聪明 cōngming：这个姑娘又聪明又好学。

(2)诚实 chéngshí：我们应该做一个诚实的人。

(3)诚恳 chéngkěn：他待人诚恳。/他诚恳地对我说："我一定会帮助你的。"

(4)活泼 huópō：孩子们活泼可爱。

(5)热情 rèqíng：他待人热情真诚。/这个服务员态度热情。

(6)文静 wénjìng：她性格文静。

(7)温柔 wēnróu：他有一个温柔的妻子。/她是一个性格温柔的姑娘。

(8)坚强 jiānqiáng：我们都应该具有坚强的意志。

(9)刚毅 gāngyì：一看就知道他是个性格刚毅的人。

(10)风趣 fēngqù：他是一个很风趣的人。/他的话语幽默风趣。

(11)幽默 yōumò：他很有幽默感。

(12)内向/外向 nèixiàng/wàixiàng：他性格内向/外向。

(13)随和 suíhe：老夫妇俩随和的神态使我立刻消除了拘束。

三、"有时……，有时……，有时……"

范文三中几个"有时"的句子概括地描写老师的衣着动作。这种句式适合对事物作一个较为概括的描写或介绍，如：

1.我有时坐公共汽车上班，有时骑自行车上班。

2.我们有时一起讨论学术问题，有时也一起吃饭、喝酒或到郊外散步。

3.奶奶有时手拿书本，静静地坐在靠窗的沙发上沉思，有时又戴着老花镜，端起书本轻声地朗读……

一、仿照以下描写人物的语段用几句话描述自己班里的某位同学或老师，写完后读给大家听，让大家评论你的描述是否准确

1. 新学期的第一天，大家刚刚在座位上坐好，门外走进来一位年轻的女士。她三十岁左右，中等身材。上身穿着一件白衬衣，下身穿着一条花裙子。她圆圆的脸上挂着温和的微笑。这就是我们学校新来的汉语老师王净。

2. 我们的地理老师姓刘，是一位年轻漂亮的女教师。瓜子脸，大眼睛，笑脸上还有两个浅浅的酒窝。她个子不高，长得很瘦，爱梳一条马尾辫，站在我们中间，就像我们的大姐姐。

3. 他是一名出租汽车司机，个子不高，眼睛里、嘴角边总是带着笑意。他的衣着整整齐齐，说话慢条斯理，总是给人不慌不忙的感觉。

二、假设你的一位朋友要来，可是你有急事不能去接他(她)，你请你的同学去接，仿照下例描述一下你的朋友

例：王名，请你帮我去车站接一下我的表弟，他坐下午 35 次列车来，下午 4:30 到达。他高个子，戴着宽边眼镜，20 多岁，说话带湖北口音……

三、从下列的人物图中选择几个你感兴趣的人物，给小组或班级的同学描述一下。例如谈谈这个人的性格、职业、经历以及现在的情况等等。别人发言时，你可以做一个笔记，记录他们的介绍

（选自《当代中国漫画集》，作者詹同）

四、用下列题目写一段话，注意学习模仿范文三，连续使用动词来描写某个人的动作

1. 卖服装的个体户

2. 接电话的姑娘

3. 刚下飞机的留学生

4. 给病人看病的大夫

作文练习

1. 一个对我的生活有很大影响的人

2. 我喜欢的一个历史人物/作家/运动员/电影明星

3. 我的朋友/老师/邻居……

第十四课

训练重点

1. 结合抒情、议论叙事
2. 连接句子的方式：省略主语以及运用指代词语

一、我与书

我不玩牌，不下棋，不钓鱼，不养鸽，不打麻将，不打台球，业余的主要爱好，就是读书。

有人说，读一本好书，就如同一位智者交谈。我的业余时间，多数是在这样的“交谈”中度过。下班回来，在阳台上放一把藤椅，沏一壶清茶，一卷在手，就忘却了一切烦恼，只觉得愉快悠闲。

刚结婚不久，我的妻子对我的读书的癖好是大有微词的，常唠叨什么“书呆子”，“读书哪能读饱”之类的话。好在我那位当过教师的岳母劝说：“人家不抽烟，不酗酒，读点书，有什么不好？”我的妻子也就不再干涉了。有时我读书或写作到深夜时，妻子居然会端来一碗热气腾腾的鸡蛋面来“犒劳”我。

喜欢读书的人，自然喜欢买书。然而时下物价飞涨，书价也不例外。我是一个教师，妻子也是个小职员，哪有那么多闲钱买书。不过经常逛书店，也就找到了买便宜书的窍门。书店降价处理专柜，成了我经常光顾的地方。我就在降价书堆里，发现了诸如《人间词话》这样的好书。久而久之，我那几个大书柜,也都被我四处发现的书填得满满的了。

除了读书、买书,最近,我还写起书来了,平时教学生、读书,充实了我的生活,也触动了我创作的欲望,我经常写下我的感触。最近应长江书社之约,编起《语文课文外国文学典故》的小书来。

读书,买书,写书,对于我来说,还有什么比这更快乐的呢?

(节选自《语文世界》,作者张纯净。)

生　词

癖好	pǐhào	special hobby
微词	wēicí	veiled criticism
酗酒	xùjiǔ	become drunk and violent, hard drinking
犒劳	kàoláo	reward with food and drink
光顾	guānggù	patronize
窍门	qiàomén	knack, trick
感触	gǎnchù	thoughts and feelings

二、给娘照相

从小我就不喜欢我娘,所以从来不曾保存过一张娘的相片。娘长得丑,一头焦黄的头发,脸显得苍老,眼睛也并不明亮,时常还爱唠叨一些琐事。我小时候长得呆头呆脑的,又瘦又不好看,小伙伴时常取笑我,说我是丑八怪,同我娘一样。我好恨好恨,恨自己没有一个漂亮的娘。

逐渐长大以后,那从娘肚子里带来的相貌并没有什么变化,不时还有人骂我丑,我有时揍他们一顿来解气,可自己这模样却丝毫未能改变,这怪谁?从此我更为有这么一个不漂亮的娘难过。

后来我离家求学,结识了许多朋友,常去拜访,见到他们都有一个并不丑的娘,我更感惭愧,非常怕别人见到我娘。一次朋友到我家来玩,娘对他们很热情,我怕朋友笑我娘丑,给他们介绍我娘时声音小了许多。一位女友问我:“你娘对你真好,你很爱你娘吗?”我一时不知如何回答。对我娘,是爱?是恨?确实令我深思！

那天回家，见到自家那破旧的茅屋，感慨万千，心里忽然产生了一个念头：给娘照一张照片。我偷偷推开院子的门，娘正安祥地坐在屋檐下。我将镜头从门缝里对准了娘，透过取景的方框，出现了一幅古朴的风景画：一个清瘦的老妇人轻轻地靠着土墙坐着，一头松散的头发，灰色的布衣，还有那双布满老茧的手放在膝上……这分明是一座神圣的雕像！我为这种神圣惊呆了，忙将镜头调近了许多，我看到了娘那张苍老的脸，焦黄的头发中夹杂着银丝，额头布满皱纹，脸上还蒙着一层淡淡的尘土，眼眶中含着浑浊的泪珠，她的嘴唇裂开了许多口子，微微张着，露出两排焦黄的牙齿。泪水逐渐模糊了我眼前的景物，这是我娘，生我养我二十载的娘呀！娘的形象在我眼前变得异常美丽，娘并不丑，我现在才明白。

我将那张照片寄给一家画报的编辑，告诉他，这是我娘，生我养我的亲娘，我永远爱着的亲娘。

（节选自《文明导报》，作者张方金。）

生　词

唠叨	láodao	talk on and on, chatter away
琐事	suǒshì	trivial matters
呆头呆脑	dāitóu-dāinǎo	dull-looking
丑八怪	chǒubāguài	a very ugly person
感慨万千	gǎnkǎi-wànqiān	all sorts of feelings well up in one's mind
浑浊	húnzhuó	turbid
编辑	biānjí	editor

三、感　动

有人曾问我，什么事让你感动呢？我不敢说，因为也许那些让我感动的事你觉得不值一提。

我大学二年级的时候，有一次同学们给我庆贺生日。几乎全班同学都给我送了生日礼物，而且一个比一个贵重，一个比一个别出心裁。当我和同学共享了一个欢乐的晚上回到宿舍时，我大吃一惊：我的房间清理得干干净净，床上的被子和床单整理得平平整整，换下的衣物也被人一一清洗过了。同寝室的人告诉我，你们班某某女同学来过了。我这才想起，班上就她没参加我的生日晚会。第二天，我找到她时，她却表现出十分歉疚的神情说："你知道我家在农村，我没有足够的钱为你送生日礼物。为你做一点点小事，也算是让你生日那天多一份高兴的心情吧！"我接受的那么多生日礼物，哪一件能像那个女孩给我的那样珍贵，那样让我感动呢？那个女孩后来成了我的妻子。

还有一次，我在公共汽车站牌下等车。有一个一起等车的女孩子穿着很入时，描着眉，涂着鲜艳的口红，很妖艳的样子。我一见，就有一种要回避的感觉。在我看来，那样的女孩子实在与花瓶无异的。这时候，发生了一件事情：一块儿等车的一个老头突然晕过去了，栽倒在地，不省人事。等车的人纷纷散开，好像怕受什么连累似的。而就是那位女孩，在众人惊异的眼神中，冷静沉着地走近老人，俯下身，嘴对嘴地为老人做起人工呼吸来。这真是让我惊心动魄的一幕。那个女孩成了至今无法从我的记忆中跑开的人。因为她不仅做了一件让我感动的事，更重要的是，她告诉了我一个朴素的道理：一个人的心你是无法轻易看透的。

我就是经常被这么一些小事感动。它们也许是在毫不经意的情况下发生的，却让我难以忘怀。正因为这些感动我的人和事，使我在一些平凡的日子里，也愿意真诚地为别人做一些平凡的小事。

（作者邓皓。有删改。）

生　词

别出心裁	biéchū-xīncái	be original in one's ideas
歉疚	qiànjiù	apologetic
妖艳	yāoyàn	alluring, seductive
惊心动魄	jīngxīn-dòngpò	heart-stirring, moving
朴素	pǔsù	simple

说　明

一、省略主语

汉语句子衔接的一个特点是在表现同一个施事者的几个动作或状态时，动词与动词结构可以连用，前面不加“和”与主语。成段表达时，省略主语，可以使句子之间的衔接更为紧凑、自然。

例如：

1. 另一位同学便装成行人去报案，唤来十多个警察（所有的同学都是警察）把我扭到警察局。
2. 我打开冰箱，取出一个水果罐头，找出一把起子，动作熟练地把罐头打开，便津津有味地吃了起来。
3. 还有一次，我在公共汽车站牌下等车。有一个一起等车的女孩子穿着很入时，描着眉，涂着鲜艳的口红，很妖艳的样子。
4. 我不玩牌，不下棋，不钓鱼，不养鸽，不打麻将，不打台球，业余的主要爱好，就是读书。

施事者也可以在后面的句子中出现，例如：

1. 回到家，把昨天买的鞋拿出来试穿，我才发现两只鞋不是一个号码！
2. 写完了3封信，顾不上天气冷，我穿上大衣出门去找邮局发信。
3. 退休后，带着失落感，曾随丈夫去北欧半年，在那里我被北欧老人勤奋好学、锻炼身体、争取再就业的精神所打动。

应该注意，如果几个动作不是同一个施事者发出的，主语就不可以省略，以免造成误解。

二、用代词指代

在语段表达中，如果说话的对象在前面的句子或分句中出现过（通常是在主语、宾语或作为话题出现），可以用代词指代，这样可以使句子之间关系更为密切，语义表达得更为连贯。例如：

1. 我哥哥完全与我相反，他长着杏眼、扁鼻子、黑头发。
2. 读书，买书，写书，对于我来说，还有什么比这更快乐的呢！
3. 我就是经常被这么一些小事感动。它们也许是毫不经意的情况下发生的，却让我难以忘怀。

应该注意，当前面同时出现几个事物时，运用代词指代应该明确具体所指，以免造成误解。

课堂练习

一、指出下列句子中代词运用不当或主语省略不当（该用未用或该省未省）的错误，并改正

1. 我的朋友今天下午到机场接他哥哥，他是一个有名的画家。
2. 王老师是我们的英语老师，王老师对我们很严格，他要我们每天做很多作业。
3. 我初中时因为家里没有钱退学了，老师和同学知道我因为家里没有钱退学的事情以后，他们都来理解我，他们捐钱给我交学费。
4. 如果你今天有空儿，我们可以一起去北海公园，学校门口就有去北海的公共汽车，我下午两点在那儿等你。
5. 她最近心情不太好，因为她妈妈生病了，她住在外地，只好每天给她打电话，虽然不能直

接交谈,但也可以让她得到一点儿安慰。

6.我昨天在表哥那儿见到了一位从香港来的商人,表哥说以前就认识这位王先生。王先生这次是特意来这儿跟表哥讨论进出口服装的问题的。

7.学习哲学和学习语言不同,应该尽早开始学习。

二、读下列故事,指出短文中省略的主语,并注意主语省略对每句的作用

早上起来晚了,赶紧穿上衣服,到楼下买了两根油条,骑上车就跑,还没骑上几米远,就听身后传来了"抓贼呀,快抓贼呀"的喊声。本想回头看看,但唯恐迟到,于是使足了力气向厂里继续猛蹬。身后的喊声,一直不绝于耳。

我气喘吁吁地赶到了厂门口,刚一下车,胳膊就被人扭住了:"跑!让你跑!看你跑到哪里去!"我一愣:"怎么回事?"

同事们越围越多,我十分难堪,大叫:"你抓我干什么?"

"还问我?走,到派出所去!偷车的!"

偷车?我定睛一看,天哪!这哪里是我刚买的新自行车!

我把那车往来人手里一送,抢过身旁一个同事的车,飞快地向油条摊骑去。

三、读下列段落,改正指代不明或省略主语不当(该省未省或该用未用)的句子

1.跟兔子赛跑

有一个小伙子向一个姑娘求爱,但是他遭到姑娘父亲的强烈反对。老头确实很讨厌他,他甚至威胁说,如果这个年轻人再去他家找他女儿,他就得挨枪子儿。一天晚上,年轻人得知姑娘的父亲进城去了,年轻人就冒险到了姑娘家。当他正和那位美丽的姑娘一起坐在客厅里聊天儿的时候,他忽然发现老头端着猎枪从外面往里走。年轻人跳窗钻进花园。他像闪电似的沿着小路奔跑。就在这时,一只野兔在他前面窜上小路。小伙子紧追两步,他追上兔子,他飞起一脚把兔子踢得老高,他大声喊道:"你别挡道,滚你的吧!还是让会跑的跑吧!"

2.晏子

晏子是春秋时期齐国的宰相。晏子能言善辩,很有才能,他是当时有名的政治家。有一回,晏子奉命出使楚国。楚王想侮辱他。他身材矮小,他就故意派人在大门旁边设了个小门,让晏子从小门进。他说:"出使狗国的人,才能从狗门进去。今天我出使的是楚国,我怎么能从狗门里进去呢?"看门人只好让晏子从大门进去了。

作文练习

一.我的秘密/梦想

提示:可以仿照范文讲述关于自己的故事,也可以描述自己的一个梦,或者自己希望实现的梦想。注意运用省略主语以及运用代词使语句的连接自然紧凑。

二.感动/后悔

提示:仿照范文《感动》,抒写触动自己内心的日常生活中的小故事。

三.我的爱好

提示:仿照范文《我和书》,写自己的某种爱好以及与这种爱好有关的故事。要使你的文章有感染力。

四.往事

提示:仿照《给娘照相》等范文,写以前的感情经历,写出自己的真情实感。

第十五课

训练重点

1. 介绍各地风情及社会生活
2. 文章的开头以及段落之间的过渡语句

一、香港人的休闲方式

姨父50年代去香港，近日回大陆，与我们小住了一段时间。在与姨父闲谈的话题中，我最感兴趣的是香港人的休闲生活。姨父说，香港人工作时的状态极为紧张，这就使得余暇生活也变得宝贵而意义重大。

每天清晨上班前，进行“晨运”的香港人极多，“晨运”的主要内容叫“行山”，也就是爬山。香港是一座山城，每天天刚蒙蒙亮，山间小路上就已经出现上上下下的人流。

香港人在节假日热衷于到郊外或境外旅游。港岛、九龙和新界开辟了许多郊野公园，人们利用周末或假日到这些地方去游玩、烧烤。在复活节、圣诞节和春节期间，由于假期较长，香港人就去更远的地方旅游，到东南亚的新加坡、马来西亚、菲律宾、韩国和台湾地区去旅行。

香港人也喜欢各种球类活动，由于世界性网球赛的刺激，近年来网球运动在香港颇为流行。此外，还有很多足球、羽毛球、乒乓球的爱好者。保龄球老少咸宜，又不受天气的影响，很受人们欢迎。

民间收藏是香港人业余活动的一项重要内容。近年来热衷于收集古董的人越来越多。香港的拍卖会、展览馆以及一些街道的旧货摊前，常常是人头攒动。

宠物饲养在香港也是一大热门活动。除了猫狗之外，香港人喜欢养热带鱼和金鱼，还经常参加国际观赏鱼评选比赛。另外，大部分居民有种花养草的习惯，无论是居室还是办公场所，大都摆放几盆花草作为点缀。

由于香港社会竞争激烈，因此香港人利用业余时间自学和进修也成了一种风尚。各大专院校和社会组织都办有课外教程和夜校，课程包括外语、电脑、金融以及各种实用技术，内容广泛。

香港人还有很多休闲的方式，唱卡拉OK、逛街、购物、饮茶、下棋等等。总之，在紧张的工作之余，有丰富多彩的业余活动来调节身体和心情。

（节选自《光明日报》，作者汤国基。）

生 词

余暇	yúxiá	spare time, leisure
烧烤	shāokǎo	have barbecue
刺激	cìjī	stimulus
点缀	diǎnzhuì	embellish
竞争	jìngzhēng	competition
宠物	chǒngwù	pet
调节	tiáojié	regulate

二、台北的交通

在台湾，给我印象最深的是台北的交通。

台北的交通工具主要是摩托车、私人汽车、计程车和公共汽车。台北的摩托车就像京城的自行车那么普遍，而自行车在台北的公共交通工具中，已不占主要地位，一般只用于家庭健身了。孩子们长到16岁就可以领到驾驶证，所以大中学生上学都以摩托车代步。崭新的摩托车需1万台币买下，而旧车子几千台币就可成交。车的外观和大小很像我们生产的“嘉陵”，均是进口零件在台湾本土组装的。

私人汽车在台北也很普遍。由于生活节奏加快，迫使上班的人唯有买汽车才能适应社会竞争。可是每晚下班高峰时的交通堵塞现象也确实让人头疼。除此之外，大街上的计程车比比皆是，而且大多为私人所有。我曾多次乘坐过计程车，当司机得知我从大陆来，就真挚诚恳地与我攀谈，向我介绍各种情况。台北的公共汽车外观和大小和北京的旅游车相差无几，只是车厢外部被广告覆盖着，使人觉得眼花缭乱。车内有空调和音响，乘客稀少；偶遇人多时也能礼貌相让。车内无售票员，乘客上车前只需将事先准备好的硬币投到投币器里即可。我这外乡人不识路，往往由司机按时提醒我下车，使我不致迷路。台北的车辆很多，道路又狭窄，却没有任何交通警察维持秩序。其原因是车辆各行其道，绝不混乱。

与此同时，穿梭来往的车辆不断排出的废气对空气的污染，已成为人们关注的公害之一。

（作者林之柔。有删改。）

生　词

节奏	jiézòu	pace, rhythm
真挚	zhēnzhì	cordial
眼花缭乱	yǎnhuā-liáoluàn	dazzled, overwhelmed
混乱	hùnluàn	chaos, confusion
穿梭	chuānsuō	go to and fro, dart back and forth
公害	gōnghài	environmental pollution

三、美国的街道委员会

像中国的居民委员会一样，美国也有各处街道委员会。一位美国友人给我作了详细介绍。原来，美国居高不下的犯罪率使许多普通美国人感到没有安全感，门不敢开，晚上外出也十分犹豫，怕遭歹徒抢劫和殴打，于是一些中年男子萌发了成立街道委员会的念头。

街道委员会以千人公寓为单位，一般推举10人组成。他们利用业余时间研究所在街道的治安情况，发现可疑线索随时和附近警察局联系，由警方负责破案。街道委员会下设一支志愿巡逻队，有人称之为“勇士队”，由一些健壮的退休工人和年轻人组成，每晚手持强力电棒或猎枪在所在街区巡逻，发现可疑人员就上前盘问。委员会的成员一般没有报酬，但因为关系到街区的安全，大家工作起来都很热心。

由于街道委员会的威慑作用，歹徒的活动有所收敛，一些大城市的警察局称赞街道委员会是警察局的“好搭档”。但也有一些城市至今未建立街道委员会，原因是怕过多侵占私人时间，甚至威胁个人安全；有的居民认为自己是纳税人，理应由警察局负责安全。

街道委员会还有一项工作是组织所在街区居民互相熟悉并开展游乐活动。美国人不希望别人干预自己的生活，所以在一幢楼里住了多年的邻居有时还互不认识。不少邻居生病，甚至有些老人死在公寓也无人知晓。为防止这种情况，街道委员会把全楼居民登记在册，对年老居民的健康情况记载得尤其详细。他们要求每户居民义务为有困难的年迈居民做件好事，如为老人采购一周食品、打扫房间、照顾宠物，送孕妇上医院体检，照顾婴儿吃奶洗澡等。

上了年纪、生活不太宽裕的美国人并不像年轻人一样，下班后可以到酒巴喝酒，到舞厅跳舞。他们只能呆在家里没完没了地看电视，一直看到睡着为止，生活很枯燥。为此，街道委员会每月在大楼地下室为这些居民组织一次舞会。大家衣着整齐地来参加，互道问候，一起喝饮料，尽情跳舞，玩儿得很开心。大家仿佛一下子年轻了十几岁。

（节选自《环球文粹》，作者吴妙发。）

生 词

歹徒	dǎitú	hoodlum
抢劫	qiǎngjié	rob

殴打	ōudǎ	beat up
破案	pòàn	solve a case
巡逻	xúnluó	patrol
威摄	wēishè	deter
收敛	shōuliǎn	weaken or disappear, restrain oneself
威胁	wēixié	threaten
纳税	nàshuì	pay taxes

四、法国的企业旅游

一项新的旅游活动正在吸引着众多的法国人,这就是有组织地参观访问工业、科技、手工业、服务业等各类企业。

法国人喜欢汽车,因此汽车企业是参观人数最多的部门之一。雷诺、标致、雪铁龙三大汽车公司所属的工厂每年接待的游客达20万人次。这个公司的公关部门的负责人说:“我们尽量使这种参观富有教育意义。”这个公司每接待一批有组织的学生参观,总是在三个月前就把有关文字、录像材料寄到学校,详细介绍工厂从接到定单到汽车交付使用的全过程,使学生们在参观中获得尽可能多的知识。

阿丽亚娜火箭和空中客车飞机也是很受欢迎的参观项目。法国宇航公司在巴黎郊区的火箭装配中心实行对外开放已有三年,参观者只要花30法郎便可以有组织地进入工厂,在宽敞的车间大厅隔着有机玻璃亲眼观看阿丽亚娜4型和5型火箭的组装。

法国的酿酒、香水、食品以及各类手工艺品企业是最欢迎游客参观的部门,也是参观者最踊跃的地方。这些企业在接待游客参观中当场推销他们的产品。一些香水公司还设立特殊的服务项目,参观者只要花200法郎,技术人员就可以当场配制他们喜欢的香水和化妆品。

(节选自《长江日报》,作者沈孝泉。)

生 词

枯燥	kūzào	dull, uninteresting
企业	qǐyè	company, enterprise
火箭	huǒjiàn	rocket
宇航	yǔháng	space navigation
酿酒	niàngjiǔ	wine-making
踊跃	yǒngyuè	eagerly
推销	tuīxiáo	promote sales
配制	pèizhì	compound, make up
化妆品	huàzhuāngpǐn	cosmetics

说 明

一、文章的开头

1. 文章的开头没有固定的格式，但一般文章都比较注意在开头就点出主要的内容。以上的范文虽然有不同的开头，也都用了这种“开门见山”的方式，即文章的开头就点明文章的主题。

例如：

(1)在台湾，给我印象最深的是台北的交通。

(2)像中国的居民委员会一样，美国也有各种街道委员会。

(3)一项新的旅游活动正在吸引着众多的法国人，这就是有组织地参观访问工业、科技、手工业、服务业等各类企业。

2. 除了如上述例子那样直接切入正题，还可以从读者熟悉的类似的事情提起话头，再自然谈到自己的话题。总之都是尽量明了、简洁地介绍中心内容。例如：

(1)像大多数刚开始学习汉语的人一样，我无法记住每个音的声调。(《我怎样学习声调的》)

(2)中国人一到传统节日春节，家里人都要欢聚在一起；而我的国家，大家最重视的节日则是圣诞节。(《我国的圣诞节》)

3. 有的文章用一段话作为开头，引出正题。例如：

(1)我向来很少参加体育运动，但上大学时，老师让我参加系里的篮球队，说我个子高，义不容辞。篮球队的活动虽然只是课余生活的一部分，却至今想起来，还很留恋。(《我们的篮球队》)

(2)春天，我回了一趟阔别十年的家乡。家乡的变化很大，我甚至觉得有点儿陌生了。而我的校舍，我的老师，仍使我感到十分亲切、熟悉，许多童年的往事仿佛发生在昨天。(《我的小学时代》)

(3)有人曾问我，什么事让你感动呢？我不敢说，因为也许那些让我感动的事你觉得不值一提。(《感动》)

二、段落之间的连接过渡

每个段落的开始也应该注意到每个部分之间的自然衔接，一篇文章从几个方面说明问题或记述事情，而每个段落的开始对各部分内容的衔接起着关键的作用。另外，每段开始的第一个句子，也像文章的起始句一样，点出这一段的主要内容；同时，也往往有完成两个内容之间的过渡作用。

例如：

1. 街道委员会还有一项工作是组织所在街区居民互相熟悉并开展游乐活动。（下面接着具体介绍这项活动。）
2. 由于香港社会竞争激烈，因此香港人利用业余时间自学和进修也成了一种风尚。（引出香港人的又一种休闲方式——学习。）
3. 法国人喜欢汽车，因此汽车企业是参观人数最多的部门之一。（从上一段概括介绍法国人参观访问各类企业引出主要参观项目——汽车企业。）

课堂练习

一、为下面的文章题目写一个开头

1. 环境污染的主要原因
2. 我国的传统节日
3. 学习汉语的主要难点
4. 路边见闻
5. 读书的乐趣
6. 童年的故事

二、下面是文章或段落的开头，说说接下来写的段落或文章应该是哪些方面的内容

1. 在小学时，我就迷上了画画儿……
2. 每当春天樱花盛开的时候，我就会想起我在东京度过的一段美好时光……
3. 学习一门语言，不但要在课堂上积极练习，而且要利用一切机会，在实际生活中学习和运用，才能提高自己的语言能力。
4. 上中学时老师和同学都认为我是一个既不聪明又不用功的学生，我自己也对自己没有多大的信心了，而新来的生物老师改变了我的看法……
5. 吸烟有害于健康，这是人人知道的道理，可是抽烟的青年人还是很多，他们对这个问题又是怎么看的呢？

三、选择适当的过渡语句填在短文的各个段落之间

1. 在美好的微笑和轻声的祝福中，他感到生活真的充满了爱。
2. 看着这几行字，他心里感到温暖。
3. 妻子去世一个月来，他始终无法从痛苦中挣脱。
4. 于是，上班的时候，他开始观察自己的同事。
5. 他来到邮局。
6. 贺年卡的封面图案很简单，洁白的纸上画着一片绿色的叶子，叶子上方印着五个字："默默地祝福。"

寄贺年卡的人

（　）他冷漠地对待这个世界，消极地生活。新年将至，他却没有快乐。也就在这时，他收到了一张贺年卡。他感到意外。他不知道，有谁还会给他寄贺年卡。

（　）打开贺年卡，他却没有找到寄卡人的签名，只在像封面一样洁白的纸上，有钢笔写着的几行字："别去猜我是谁，也不必去寻找。只要你知道，这世界上有人在默默祝福你。生活依然美好，依然充满热情，依然充满爱。新年与你同在！"

（　）是谁送来的这份温暖呢？他极力去辨认那钢笔字，但这隐去姓名的祝福者显然是要真正隐去他自己。字，一笔一划，横平竖直，是标准的仿宋体，根本看不出一点个人风格。谁呢？我一定要找出来。

（　）他向他们微笑点头。妻子去世以来，这是他第一次露出微笑。同事们也分别向他回报以微笑。微笑里充满了温馨。他分辨不出，他觉得每个人都像是他的祝福者。

（　）"别去猜我是谁，也不必去寻找。"他总是想起了这句写在贺年卡上的话。他多么希望找到这个给他带来生活的力量的人啊！突然，他看到信封上的邮戳：贺年卡是挂号寄来的，为什么不去问问邮局呢？

（　）邮局的人说："噢，这个办挂号贺年卡的人我们记得非常清楚。两个月以前，来了一个女人，很瘦，因为病态，她的嘴唇几乎没有血色。她说她得了绝症，将不久于人世了。她请求我们代她在年前寄出这张贺年卡……我们知道她已经死了，因为，她临走时说，如果她能将生命熬到年底，她将亲自来寄这张贺年卡。

听完这些，他深深地，不知是向这个告诉他谜底的人，还是向他那已长眠的妻子，鞠了一个躬。

（作者李致祥。有删改。）

四、小组活动

1. 仿照范文的内容，每个人介绍社会生活的某个方面。用具体事实作介绍，可以是自己了解到的，也可以是间接了解到的。
2. 用列提纲的形式记录别人的发言，假设要以此为内容写文章，请你写一个合适的开头。

作文练习

1. 我国退休老人的生活/医疗制度
2. 年轻人喜爱的休息方式
3. 我国的电视节目
4. 我们学校的学生组织（业余乐队、体育组织等等）

第十六课

训练重点

1.专用书信
2.关联词语的运用(2)

一、读者写给编辑的信(1)

提示:这是一封写给报社的编辑,提出建议的信。人们经常向报纸等媒体申述自己的意见和看法,这种公开的编辑和读者之间往来的书信经常讨论某个问题,引起人们的关注。

北京电视报的编辑:

您好!我是一名中学生,现在已经放了暑假,我们有相当长的一段时间可以自由支配。对于我们来说,读书,读好书,是一种很好的活动,既能增长知识,又有趣味,有益于我们的身心健康。可是,目前书市上的书虽然品种繁多,但我们不知道哪些更适合我们青少年读。我诚恳地希望贵报和北京电视台能开辟这样的小栏目:一、由教师和作家们推荐一些好书;二、青少年自己把一些读过的好书介绍给大家,谈谈读后的感想。我想,很多朋友都喜爱书,尤其是乐观向上、积极健康的好书。如果贵报考虑了我们的愿望,并积极推动电视台也这样做,会使爱读书的青少年人有很大的收获。

贵报的发行量很大,如果能为想读好书的朋友开辟这样一个专栏,会给广大读者很大的帮助,而且会给我们读者精神上很大的鼓励。

花园路17号　林　立

（节选自《北京广播电视报》）

生　词

繁多	fánduō	numerous and varied
栏目	lánmù	column
发行	fāxíng	put on sale, distribute
开辟	kāipì	open up, develop

二、读者写给编辑的信(2)

编辑同志：

笔者经常去大钟寺农贸市场采购蔬菜和副食品。这个市场建成已经有好几年了，可交通秩序乱，环境卫生差的问题一直没有解决。

大钟寺农贸市场分大厅及露天两部分。每天，大型货车和机动三轮车都把大厅挤得满满的，购物者骑的三轮车、自行车和行人一个挨一个，时常发生交通堵塞。露天市场的入口，汽车、人力车、自行车挤在一起，想进的进不去，想出的出不来。

笔者认为，要解决这种状况，需要解决以下几个问题：一、解决市场实用面积小与出入市场人员、车辆多的矛盾；二、按车辆类型或蔬菜品种进行规划管理；三、在现有通道的条件下，清除影响出入的摊点；四、加强检查和执法力度。

希望有关部门注意到这个问题，让我们早日看到一个环境整洁、秩序良好的市场，更好地为市民服务。

读　者

1997.5.7

生　词

露天	lùtiān	in the open (air), outdoors
堵塞	dǔsè	jam, block up
规划	guīhuà	project, planned
摊点	tāndiǎn	vendor's stand, stall

执法　　zhífǎ　　law enforcement

三、编者和读者往来的信件

提示：下文是编者和读者往来的信件，读者给专栏编辑写信倾诉自己的苦恼，编辑诚恳地为他出主意。

(来信)

全家福先生：

您好！

我是一个性格孤僻的青年工人。同事们都喜爱旅游，经常结伴而行，就是没有我的份。我想近日随旅游团去南方游览。面对陌生的旅伴，我又兴奋又紧张。生怕自己不能很好地与别人融洽相处，我该怎么办？

此致

敬礼！

胡令经

1996.4.16

(回信)

胡先生：

您好！

收到了你的来信，我非常理解你因自己不合群而感到苦闷的心情。大多数性格开朗的人，旅途中笑口常开，讨人喜欢，谁都愿意跟这种人结伴而行，因为乐观的情绪是解除疲乏的良药。而你性情孤僻，沉默寡言，同事们不愿跟你结伴而行，恐怕也就是这个原因吧！

现在你决定跟随旅游团旅游，这是你改变自己形象，锻炼自己的一个好机会，你千万不要错过。怎样作一个讨人喜欢的旅伴呢？这里给你提几点建议：

第一，学会跟陌生人攀谈。旅游团里充满了轻松欢乐的气氛。大家心情愉快,彼此比较容易接近。你不妨先和邻座旅伴谈话。话题可以随便些,哪怕问候几句也好。沉默会使别人对你有戒心,而交谈能缩短互相之间心理上的距离。

第二,热情待人,助人为乐。俗话说:“在家靠父母,出门靠朋友。”要把同车旅伴当作自己的朋友。上下车时主动扶老携幼,帮助身体比较弱的人。你把别人当做朋友,别人也就自然不会把你当外人。我在旅途上就曾经遇到过这样一位出差的小伙子,在旅途中,他不是去帮助年老体弱的游客,就是热心给大家介绍沿途景致。大家都为有这样一个善解人意的旅伴而高兴。

第三,遵守旅游团的有关规定。每到一个旅游点,要遵守上下车的时间。一旦迟到,耽误大家的时间,就会引起别人的不满。

第四,要注意自身及别人的安全。出门旅游,安全第一。爬山涉水时,要相互提醒,互相照顾。你对别人多一份关切,别人也就对你多一份尊重和热情。

祝您

快乐!

全家福

1996.4.28

生　词

孤僻	gūpì	unsociable and eccentric
沉默寡言	chénmò-guǎyán	taciturn
合群	héqún	get on well with others
戒心	jièxīn	wariness
攀谈	pāntán	chat,engage in small talk
扶老携幼	fúlǎo-xiéyòu	help the aged and the young

四、求职信

下文是一封求职信,求职信也是专用书信的一种,是找工作的向用人单位写的信。

中国人民大学外语系负责同志：

我叫李云，现年22岁，女，是一名日语专业的硕士研究生。从报上我看到贵系的招聘日语教师的广告。我对这个工作很感兴趣，并认为自己能胜任这个工作，在此提出工作申请。

我于1996年毕业于北京师范大学外语系日语专业，毕业成绩优秀。在校期间，我参加过北京市高校日语讲演教研比赛，获得三等奖。我还在《外语教学与研究》、《北京师范大学学报》等刊物上发表过数篇学术论文。从1993年暑期开始，我接连3个暑假参加了北京师范大学暑期中学日语教师提高班的教学工作，已经具有一定的语言教学经验。

我热爱教育工作，对语言教学有浓厚的兴趣，能很好地跟学生相处。本人身体状况良好，兴趣广泛，尤其爱好朗诵和文学作品翻译。

附上个人简历一份。盼望尽快得到你们的答复。

此致

敬礼！

李　云

1997年3月4日

一、专用书信

除了日常通信之外，人们有时用书信方式向报刊、电视台或其他传媒针对一些社会中的现象或问题提出意见建议，或者对一些日常社会生活中的人或事提出表扬或批评。有的也写信诉说自己的经历以及感情上的疑惑或苦恼，报刊的编辑也常刊载回信，解答他们的问题。

1.这类专用信件一般开头作一个简单的自我介绍，以便收信人对自己的身份有一个大致的了解，然后再具体谈自己的问题。

例如：

(1)校长先生：

您好！

我是今年入校的美国留学生，现在在法律系学习……

(2)编辑同志：

我是贵刊的热心读者，今年8月读到贵刊报道的救助灾区失学儿童的报道……

(3)编辑同志：

我是一名普通市民，家住平房，每年都是烧煤取暖。最近在贵刊上读到入冬以来出现的几起因烤火而发生的煤气中毒的报道，想在这里谈谈预防煤气中毒的办法和小建议……

2.提建议的信中常用语句：

(1)我诚恳地希望贵报……

(2)在此我向校长先生提出几点我个人的看法……

(3)如果贵刊能考虑我们读者的愿望，今后多刊载介绍少数民族风情的文章，一定会使贵刊更富有特色。

二、求职信的格式、内容和要求

求职信也是专用书信的一种，是找工作的人向用人单位写的信。

1.称呼

要顶格写在第一行，写明收信人的单位名称或个人姓名。单位名称后写上"负责同志"，个人姓名后写上"女士"、"先生"或职务，如"经理"、"校长"、"主任"等。

2.正文

(1)求职的原因

简单介绍求职者的个人基本情况，如姓名、年龄、性别等，接着说明自己怎样得到有关信息以及写信的目的。例如：

北京电视台负责同志：

我叫王林，女，现年23岁，是中国人民大学新闻系硕士生。从报上看到贵台国际部招聘一名记者，我对这个工作很感兴趣，并认为自己能胜任这个工作，在此向您提出申请。

(2)写明自己对所谋求的职务的看法以及对自己所具备适应这项工作的能力和有利条件作出充分、客观的评价。例如：

我于1997年获得硕士学位，毕业成绩优秀。我毕业论文的题目是《冷战结束以来全球新闻的新导向》，毕业论文的部分章节在《中国人民大学学报》上发表。在校期间，我曾在中央电视台国际新闻部实习，所写的新闻综述《阿以关系的新转机》以及所作国际新闻的报道获得好评。我具备较强的英语表达能力，翻译的作品有……

(3)结尾

可以提出自己简单的希望和要求，例如：

"盼望尽快得到您的答复"或"希望能安排一个与您见面的机会"等。

最后写简短的敬祝的话，"此致""敬礼"或"祝工作顺利事业发达"等。

在右下角署上自己的名字，名字下面写明写信的年月日。

(4)附件

附件一般包括自己的个人简历以及学术论文或获得奖励的复印件等。随信寄出时可以在信的结尾处注明，例如：附件1：个人简历一份；附件2：毕业论文提要一份……

三、关联词语的运用

1.既……又……

例如：

(1)对于我们来说，读书，读好书，是一种很好的活动，既能增长知识，又有趣味，有益于我们的身心健康。

(2)我希望假期能够到中国的南方去旅行，既能欣赏那里的美丽风景，参观那里的名胜古迹,又能利用这个机会……

2.而

例如:

(1)用这种办法练习发音,时间用得不多,而效果非常明显。

(2)沉默会使别人对你有戒心,而交谈能缩短彼此心理的距离。

(3)大多数性格开朗的人,旅途中笑口常开,讨人喜欢,谁都愿意跟这种人结伴而行,因为乐观的情绪是解除疲乏的良药。而你性情孤僻,沉默寡言,同事们不愿跟你结伴而行,恐怕也就是这个原因吧!

3.不但……而且……

例如:

(1)这种自行车不但价格便宜,而且质量好。

(2)可是,他们不但不接受我的意见,而且有几个人拥上来揪住我的衣领就要打人。

4.不是……而是……

例如:

(1)你的主要问题不是语法,而是发音。

(2)他们没有电视机,不是缺钱,而是因为他们讨厌电视。

(3)我这次来中国的目的不是做生意,而是学习、了解中国的传统文化。

5.不是……就是……

例如:

(1)明天我们不是去长城,就是去香山。

(2)在旅途中,他不是去帮助年老体弱的游客,就是热心给大家介绍沿途景致。大家都为有这样一个善解人意的旅伴而高兴。

(3)最近我不是四处查找资料,就是准备毕业考试,以至没有时间给你回信。

课堂练习

一、用所给的关联词语改写下列句子

1.我们每天都要早起锻炼身体,有的时候我们跑步,有的时候打篮球。(不是……就是……)

2.他是一个很用功的学生,只要有机会,他就跟中国人谈话,练习口语;或者听广播、看电视,练习听力。(不是……就是……)

3.这里除了有不少有名的古迹,同时也有不少现代化的娱乐场所,吸引了很多来自全国各地的游客。(既……又……)

4.我的弟弟是一名大学生,最近他利用课余时间在一家公司打工。我和妈妈劝他好好学习,不要只想到赚钱,他说:"你们不理解我的想法,我到外资公司打工的目的是想在实际工作中锻炼自己,得到更多的实践知识,跟赚钱没有关系。"(不是……而是……)

5.他为了给老人治病,花掉了所有的积蓄,还借了不少钱。老人非常过意不去。(不但……而且……)

6.他们没有电视机,他们说看电视就不用大脑,是满足懒人的,所以他们不喜欢电视,但是对书籍,他们的态度就完全不同,两个人都爱书如命。(不是……而是……,而)

二、填上适当的关联词语

1.我是一名青年观众，业余时间很喜爱看电视。这里针对电视中的广告谈点看法。广告应当是一门艺术，应该(　　　)短小精悍，(　　　)有联想的余地。(　　　)富于特有的招徕性，而且具有独到的艺术魅力。可是现在的电视广告，缺乏精品。不是美女如云，毫无个性；就是图解产品，缺乏美感……

2.我认识一个大学生，他假期几乎从来不休息，(　　　)写论文，(　　　)去打工。我问他这样安排假期生活会不会觉得乏味。他笑着说："这样利用假期，(　　　)能争取在学业上有所提高，(　　　)经济上有些收益，我觉得过得很有意思。"

3.学习语言，重要的(　　　)记住一些语法规则，(　　　)要多在实践中运用在书本上学到的语言知识。我们(　　　)要在课堂上利用机会多说、多练，(　　　)要在课外积极寻找练习的机会。这样才能使我们的语言能力有较大的提高。如果只注意语言知识的掌握，(　　　)忽视语言能力的锻炼，就难以自如地运用所学的语言。

三、阅读范文一至三，指出作者遇到了哪些问题，再以小组为单位，谈谈你有什么类似的问题可以写信向传媒反映或请求帮助。讨论后试着选择一个问题给某家报社或电视台写一封信

四、假设你是一位编辑，收到了反映下列问题的信件，你会从哪些方面谈你的看法？为你的答复信件列一个提纲，并在小组中讨论

1.怎样安排我们的课余时间？

2.求职面试为什么总是失败，应该注意什么？

3.在单位跟其他的同事搞不好关系，怎么办？

作文练习

1.给学校教务处写信，谈谈你对课程安排的意见或建议。

2.给《消费者报》编辑部写信，谈谈你对产品质量的意见。

提示：你可以通过你最近买到伪劣商品的经历来讨论这个问题。

3.假设你在考试期间总是情绪紧张，给某刊物《知心话》专栏的主持人写信，诉说你的苦恼，并请他们给你一些好的建议。

4.给铁路有关部门写信，对买火车票过程中见到的不合理现象提出批评，并向他们提出如何改进的建议。

5.写一封求职信

提示：假设你在报纸上看到一个招聘启事，你对这项工作很感兴趣，你的专业特长也能得到发挥，给这个单位写一封求职信，说明你的意愿并介绍你的情况。

第五单元

第十七课

训练重点

1. 叙议结合的小议论文
2. 连接句段的词语(1)
3. 设问与反问的运用

范　文

提示:以下几篇范文都是讲述一两个小小的事例,来说明某个道理,谈自己对某个问题的见解。这种一事一议的作文,是练习写议论文的基础。

一、好主意是这样产生的

几年前,美国一位36岁的年轻人就进入美国10位首富之列,他的发迹之路就是向世界推广了人的宠物。

他的一位朋友曾向他借过一些钱,但后来无力偿还,为表示歉意就把自己养的金丝雀送了10只给他,可他却对养鸟极不感兴趣,没办法只好每天给它们喂食。久而久之他竟慢慢地喜欢起这些金丝雀来了。于是他想,世界上爱鸟的人一定不少,便开始了金丝雀的养殖,不久他就成了大富豪。

现在的时代是有创造性就等于有财富的时代。那么,好主意又是怎样产生的呢?一是不要把目的固定于一点,无用的事也去干一些,也许会从中找出适合于自己的目标。二是兴趣要广泛,把自己感兴趣的话题同别人交流,交谈中常常会产生灵感。三是有了好主意不要老藏在肚子里,只有把它们公开,才能得到人们的认可。

生 词

发迹	fājì	gain fame and fortune
推广	tuīguǎng	popularize
宠物	chǒngwù	pet
金丝雀	jīnsīquè	canary
养殖	yǎngzhí	breed
灵感	línggǎn	inspiration

二、学会向孩子道歉

一天，我答应女儿到书店给她买一套作文工具书，但由于下班时偶然遇到旧日同事，兴奋地谈起分别后的情况，并请同事回家叙旧，把买书的事忘了。回家时，正在做功课的女儿迎上来，热情地向同事问好以后，立即问我："爸爸，我要的书买回来了吗？"女儿急切的神情使我不好意思起来："爸爸忘了。"我看了看失望的女儿，又诚恳地说："对不起，爸爸今天遇到朋友，忘了买书，明天再买，好吗？"女儿马上说："没关系，明天买也行。"这样，女儿重新认真地做起功课，全然忘记了刚才的不快。同事看到这一情景，打趣地说："你还真够民主呢。"我笑笑说："大人错了的时候，也应该向孩子道歉。"

一旦父母做错了事，如果能向孩子说一声"对不起"，不但可以帮助孩子建立自尊，同时，还可以使孩子养成尊重人的习惯。如果父母真诚地向孩子道歉，孩子感到你尊重他，爱护他，他们便会更加信任父母，并乐意原谅自己的父母。

（节选自《中国教育报》，作者陈韶辉。）

生 词

偶然	ǒurán	by chance
叙旧	xùjiù	talk about the old days
急切	jíqiè	eager
打趣	dǎqù	make fun of, banter
民主	mínzhǔ	democratic

三、失意有时很重要

一个连年被评为优秀学生的农村孩子，因为一门功课中的一个小小的闪失，导致总分相差一分而不能进入市重点中学。按学校规定，她需交一万元赞助费才能进入重点中学。

她要上学，她坚持要上重点中学。但面对这笔赞助费，她简直不敢想。对于他们家的经济条件来说，这简直是一个天文数字。在父母面前，她无法启齿，她拼命为父母干活，努力分担父母承受的生活重担。她从此沉默寡言。

父亲知道了这一结果……在交钱的前一夜，全家人聚在一起，父亲将所有钱币角票郑重地从衣柜包裹里取出，堆积在桌子中间，在不太明亮的灯光下，父母没有说话。在她的印象中，她看到父母的钱最多不过是一两张百元钞票，从来没有看到过家里有这么多钱。她看到父母苍老的脸，知道这是他们节衣缩食的所有积蓄。我今生今世也报答不完父母的恩啊！她跪在父母面前，泣不成声。父亲只是简短地说："明白了，心里记住了，这就行了。"

有一次遇到大风雨，断了电，学校通知放假一天。其他学生都高高兴兴地回家了，而她站在学校的大门口，久久不愿离去。她想到的是，今天不上课，父母的赞助费不是白交了吗？眼前她看到的不是落下的雨，而是父母的泪水和汗水。

就这样，她时刻都想到父母的希望，想到自己的目标，时刻都在发誓、发狠、发奋……最终她以优异的成绩考上了一所名牌大学。

人生往往就是这样，因为一个小小的失意反而转化成发奋向上的动力。失意并不完全是坏事，有时在人生中很重要。

（作者严正。有删改。）

生　词

失意	shīyì	have one's aspirations or plans thwarted

闪失	shǎnshī	mishap, accident
导致	dǎozhì	result in, cause
赞助费	zànzhùfèi	(required) money assistance
承受	chéngshòu	bear, endure
郑重	zhèngzhòng	seriously
报答	bàodá	repay
发誓	fāshì	pledge, vow
发狠	fāhěn	make a determined effort
发奋	fāfèn	work energetically

四、净化电视屏幕刻不容缓

一件工艺品或一匹美丽的丝绸，如果出现了疵点，便会影响质量；如果疵点过多，还会降低档次，甚至变成次品。同样道理，一个电视节目，如果出现错别字，也会让人好像吃饭的时候吃到了沙子，感到很不舒服。现在电视屏幕上的错别字，较为普遍，这不仅容易产生歧义，而且容易通过电视以讹传讹，危害不浅。有一家电视台在播出电视歌曲时，把插曲“归心似箭”写成了“归心似剑”，令人哑然失笑。还有一个电视戏曲节目的字幕，把“千金小姐”写成了“千斤小姐”！观众在捧腹大笑的同时，不禁深深地为编导的马虎遗憾，这样制作节目简直是粗制滥造。

其实电视台有关人员，对防止和减少错别字并非不重视，听说为了引起编导的注意，还采取了罚款的办法。为什么还不能真正解决问题呢？我觉得还是措施不严密所致。报纸、杂志出版前都有“校对”这个环节，以防止错别字出现。电视屏幕有没有“校对”的环节？审定电视节目时有没有对字幕“把关”的人呢？另外，有没有类似报社“第一读者”发挥“挑错”的作用呢？如果这些措施都跟上，相信错别字会大大下降。

我认为，防止和减少电视屏幕错别字的出现，关键还在于提高和加强电视编导和制作人员的精品意识，编导要本着精益求精的精神去制作电视节目，本着对观众负责的精神对待工作，只有这样才能净化电视屏幕，杜绝错别字。

(节选自《中国电视报》。)

生 词

净化	jìnghuà	purify
刻不容缓	kèbùrónghuǎn	brook no delay
疵点	cīdiǎn	defect
以讹传讹	yǐ'é-chuán'é	pass on wrong reports
措施	cuòshī	measure
校对	jiàoduì	proofread, proofreader
编导	biāndǎo	playwright-director
精益求精	jīngyìqiújīng	keep improving
杜绝	dùjué	put an end to

说 明

一、连接句段的词语

有些词语不是关联词语,但在文章中它有连接句子,使得句子之间的关系清晰明确的作用。在语段表达中,恰当使用这些词语,可以加强语义表达的统一和完整。

1.我认为/依我看

说明自己的观点、看法;强调是自己的认识。例如:

(1)依我看,这件事情要多听听你家里人的意见。

(2)我认为,拍电视剧时,就该请一个语言专家当顾问。

2.就……来说

以某个事物为基点来说明问题。例如:

(1)就今年的情况来说,毕业生大都愿意自己找工作,而不愿意学校统一分配工作。

(2)就语音练习来说,这种方法很有效。

列举事例或陈述道理时,可以用以下表示列举的表达方式使层次更清楚。

3.一是……二是……

例如:

大学生利用假期去打工,确实有不少益处,一是使他们获得对社会生活的体验,为自己走向社会打下基础;二是可以增加一些经济收入,减轻父母的负担……

4.第一……第二……

例如:

使用毛笔应该注意以下几点:

第一,新毛笔使用时,要先把它放在温水或凉水中浸泡,使胶水溶化,笔毛全部泡开,然后蘸墨写字。

第二,每次用完后,应该把毛笔洗干净,将笔毛捋直、捏紧。否则,下次写的时候就要开叉或卷曲。

第三……

5. 首先……其次……最后/第三

例如：

解决城市交通问题首先要加强基础建设，比如拓宽马路，增设立交桥；其次要多多开辟公共汽车线路，尤其是上下班的人流比较集中的地区；第三，……

6. 一方面……另一方面……

例如：

坚持进行体育锻炼一方面可以保持身体健康、增强体质，另一方面，也可以调整人的心理状态，保持乐观的情绪。

二、设问

设问可以提醒注意、启发读者进一步思索。有时用在一段或一节文章的开头或结尾，能起到提起话题或过渡作用。

例如：

(1)有人曾问我，什么事让你感动呢？我不敢说，因为也许那些让我感动的事你觉得不值一提。

(2)好主意是怎样产生的呢？

(3)为什么还不能真正解决问题呢？我认为是措施不严密造成的。

三、反问

反问不是提问题，而是把要表达的意思包含在问话里，有加强语气的作用。

例如：

1. 我接受的那么多生日礼物，哪一件能像那个女孩给我的那样珍贵，那样让我感动呢？

2. 今天不上课，父母的赞助费不是白交了吗？

3. 读书，买书，写书，对于我来说，还有什么比这更快乐的呢？

4. 可他们难道不是最伟大的成功者吗？

课堂练习

一、谈谈你对下列问题的看法，用上表示列举的词语

1. 怎样预防感冒

2. 怎样保持愉快的心情

3. 学习汉语是不是一定要学习写汉字

4. 电视的好处与坏处

二、口头作文

下面是一篇有关国外教育孩子方式的短文，读了以后选择其中某个事例为材料说明自己的观点。

在发达国家的一些家庭里，父母普遍重视从小培养孩子的自理能力和自强精神。

在美国，家庭教育是以培养自食其力为出发点的，例如，家长注意让孩子从小懂得劳动的价值，从自己动手修理、装配摩托车，到去社会参加一些力所能及的体力劳动。即使是富家子弟，也要自谋生路。中学生提出了“要花钱，自己挣”的口号。

在瑞士，17岁的姑娘，初中一毕业就去一家有教养的人家当一年左右佣人，上午劳动，下午继续上学读书。这样做，一方面可以锻炼孩子的劳动能力，寻求独立谋生之道；另一方面还

有利于学习语言。因为瑞士有讲德语的地区,有讲法语的地区,所以,姑娘们常去另外一个语言地区的人家工作,以训练自己的语言能力。

在日本,孩子很小的时候,家长就告诉他们"不给别人添麻烦",并在日常生活中注意培养孩子的自理能力和自强精神。全家人外出旅行,孩子的东西都由他们自己来背。上学以后,许多学生都要在课余时间到校外参加劳动挣钱。大学中的勤工俭学很普遍,有钱人家的子弟也不例外。他们靠自己的劳动挣得自己的学费。

(节选自《新民晚报》)

三、读下面各个段落,假设下列观点你都不同意,试用一段简短的文字反驳这些观点,注意使用表述自己看法的语句,例如"依我看;我认为;我的意见是;对此我有不同的看法……"等

1.在日常交际中,人们都是互相谈话来交流看法和感情的,所以学习一门外语,听和说很重要;读和写不太重要,不必下太大的功夫。

2.看报是一种浪费时间的活动,报纸上的新闻常常是一些无聊的事情,用那么多的纸张来发行报纸完全没有必要。

3.八小时之外的业余时间不应该再做什么和工作有关系的事情,应该尽情娱乐,享受人生。

4.年轻人和长辈是可以互相理解、互相尊重的,"代沟"完全可以通过谈心等方式来填平。

5.现在的电影不如以前的老电影那么深沉感人。现在的电影总是充满了凶杀、暴力等场面,而很少反映现代普通人的生活。

四、把下列句子改为反问句

1.今天比赛虽然对方的力量比我们强,但是我们仍然要竭尽全力去争取胜利。

2.我早就写信告诉你了,你应该知道这件事。

3.生活中遇到各种困难是很自然的,我们年轻人应该有克服困难的勇气和信心。

4.学习汉语,应该尽量跟中国人谈话,如果不好意思说,就很难得到提高。

5.你可以选择生活,却无法选择生死;你可以选择伴侣,却无法选择命运。

6.我们都已经是大学生了,别把我们当小孩子看待。

7.她诚心诚意向你表示歉意,你也要改变对她的态度了。

8.我喜欢茶色的头发,所以我把头发染成茶色。爸爸妈妈认为很古怪,但我觉得这是个人爱好问题,他们不应该干涉。

作文练习

1.从一次交通事故所想到的

2.失败是成功之母

提示:可以谈谈自己一次经过失败后获得的成功,学习方面,如汉语的发音、汉字笔画的掌握过程;业余活动,也许开始你不是一个很出色的网球手、吉他手,不妨把你的经历和感受谈出来,给你的读者一点启示。

3.保护环境应该从"我"做起

4.坏事能不能变成好事?

第十八课

训练重点

1. 应用对比、比较说明自己的看法
2. 比较句的运用

一、女生真的不如男生聪明吗？

提示：这篇短文谈了性别不同并不能说明能力存在根本的差异这样一个道理。文章运用各种比较句式，把男女生的各种情况作了对比。注意这些比较句的运用。

有人说女生不如男生聪明，这种说法是不正确的。心理学的许多研究表明：男女在智力发展上虽然存在差异，但是这种差异并不是水平的差异，而是表现在具体能力上的差异。例如：在语言能力方面，10 岁以前男女差异并不明显；然而，到了 10 岁以后，女孩在表达能力、阅读、词汇或语法方面的智力比男孩高。而在数学技能方面，却是男孩比女孩强一些。

总的说来，一般女生的文科成绩比男生强一些，在理科方面就不如男生。可是，从历史上看，科学家、大学教授、国家领导人中男人比女人多得多，这是为什么呢？这个差异有可能是一些历史因素造成的。比如人们处于不同的环境，受不同的教育，受当时的文化习俗和社会分工等等因素的影响。这并不能说明男性比女性聪明。

那么女生应该怎么办呢？首先，不应该抱有“女生不如男生”的想法。这种想法容易使你失去信心。其次，在学习上应该注重学习方法。考试成绩不如男生高并不能说明你比男生笨,有可能是你的学习方法需要改进。只要你树立起信心,并掌握适合自己的学习方法,你的成绩会有所提高的。

生 词

心理学	xīnlǐxué	psychology
智力	zhìlì	intelligence
文科	wénkē	liberal arts
理科	lǐkē	science
因素	yīnsù	factor

二、相貌平平也有优势

常常有人为自己长得不如别人漂亮而自卑。其实,相貌一般的人也有优势。

美国的两位儿童心理学家进行了一项调查研究。他们从一所中学里选出漂亮的男女学生各 10 名,再选出长得丑的男女学生各 10 名,然后对这两组学生的大学入学率和智商进行比较。结果发现长得比较难看的那一组学生入学率和智商比长得比较好的那一组高。这两位心理学家认为,长得丑的学生之所以比较聪明,是因为他们想通过刻苦学习来弥补相貌的不足。

有趣的是,相貌平平的人可能比漂亮的人有更多的机会获得美满的婚姻。本杰明·富兰克林曾劝告一个年轻人娶一个善于理家但长相一般的女子,因为这样的妇女会花更多的时间去考虑做一个贤妻良母。她们或许比漂亮的女人更重视丰富的爱情和精神生活。因此,有眼光的男子往往喜爱一个相貌平平但却十分温柔、真挚的女子,而女子往往喜爱一个长相一般但有智慧、有勇气、有事业心的男子。

长相不美的人,如能努力奋斗,同样可能在事业上获得成功。美国总统林肯就是这样。林肯其貌不扬,但他并不因为自己的相貌而自卑。他才华出众,受人尊敬。更引人注目的是一些有名的女演员并非天生丽质，而她们往往比外貌漂亮的人能保持更长时间的端庄动人。

生　词

平平	píngpíng	average, mediocre
智商	zhìshāng	intelligence quotient
弥补	míbǔ	make up, make good
现象	xiànxiàng	phenomenon, appearance of things
贤妻良母	xiánqī-liángmǔ	a good wife and a kind mother

三、珞珈山与汉正街引起的思索

提示：珞珈山是武汉高等院校集中的地方，而汉正街是个体户集中的地方。这里用这两个地方来代表求学和经商——年轻人面临的两种选择。

商品经济的兴起使很多中国人的价值观念起了翻天覆地的变化。人们明显地感觉到：个体户发了，做生意成了“金光大道”。

在这场“冲击波”中，武汉大学等一批高等学府的荟萃之地——珞珈山不禁黯然失色。许多学子纷纷改变初衷，弃学经商，挤入了名扬武汉的个体户一条街——汉正街。于是，有人感叹“上珞珈山不如进汉正街”。读高中的人少了，考大学的愿望淡薄了。今年考研究生竟出现了大面积的差额。

无论经商热，还是厌学风，来源只有一个字：钱！禁锢了多年的商品经济一旦放开，它的影响远远超出商业领域，在思想道德、文化教育、政治生活等方面都受到了或大或小的冲击。做生意带来了财富，而读书做学问一时不会带来实惠。“读书无用论”又在社会上产生影响，而且越来越严重。

不论这种论调如何冠冕堂皇，我们都可以肯定地说，厌学风如果不及时煞住，将会影响到中国迫切需要振兴的教育问题，切不可等闲视之。七十年代知识五年一更新，八十年代只有两年一更新！九十年代呢，我们拿什么去更新？只有靠知识作为支点，我们明天才可能崛起。

目前，我国人民的文化教育素质不仅不如美、日、英等国家，甚至还比不上第三世界的许多国家。某些基础研究项目，同发达国家的差距越来越大。放弃了知识，靠全民皆商，能在世界浪潮中一搏吗？在我们这样一个穷国，一方面国家尽量省下资金来办学，而另一方面，许多人放弃学习知识的机会。不知这些读书人想过没有，他们丢下的不仅是一纸文凭，而是中国发展的一份希望。

弃学经商，不仅使学生放弃学业，商业也会出现混乱。经商不仅需要魄力、资金、手腕，也需要掌握信息以及管理能力。目前我国虽然有许多文化层次低的个体户发了财，但可以肯定国际一流公司的企业家，不会在他们中间产生。在国际舞台上，缺乏广博的知识，没有现代化的头脑，决不可能成功。历史的发展将会证明：珞珈山的沉寂，带来的不会是汉正街的兴旺，而是商界、学界两败俱伤的后果。

一个人的发展需要有战略眼光，一个国家的发展更需要有战略眼光。过去轻视商业固然不对，而当今一些人轻视学业更加糊涂。科学文化，是振兴国家的基础；尊重知识，是社会发展的客观需要。人类的发展需要知识，历史已经证明，也将永远证明这一点。

（节选自《全国名校专题作文精选》，作者詹昊。）

生　词

观念	guānniàn	concept, idea
翻天覆地	fāntiān-fùdì	earth-shaking, tremendous
荟萃	huìcuì	(of distinguished people or exquisite objects) gather together, assemble
学子	xuézǐ	students
初衷	chūzhōng	original intention
禁锢	jìngù	confine, shackle
冠冕堂皇	guānmiǎn-tánghuáng	high-sounding
等闲视之	děngxián-shìzhī	regard as unimportant
两败俱伤	liǎngbài-jùshāng	cause damage to both sides
战略	zhànlüè	strategy

说　明

范文中都运用了对比来说明道理。在对比中,比较句的运用很普遍。各类比较句都在文章中出现。下面介绍汉语常用的表示比较的句式和注意事项。

1.用“比”表示比较

(1)他比我高一点儿。

(2)这本小说比那本有意思。

(3)我比我妻子喜欢看足球。

(4)这条街道比以前繁华多了。

(5)到了10岁以后,女孩在表达能力、阅读、词汇或语法方面的智力比男孩高。而在数学技能方面,却是男孩比女孩强一些。

2.用“跟”表示比较

(1)我的想法跟你的不一样。

(2)我的家乡跟北京一样冷。

(3)这个班的汉语水平跟那个班差不多。

(4)我要买一条跟你那条一样的围巾。

3.用“有”、“没有”表示比较

(1)这本书有那本难吗?

(2)我学汉语的时间没有你那么长。

4.用“不如”表示比较

(1)北京的圣诞节不如我们那儿热闹。

(2)我说汉语不如她那么流利。

(3)目前我国的教育水平不仅不如美、日、英等国家,甚至还比不上第三世界的许多国家。

5.用“越来越”表示比较

(1)我觉得语法越来越难了。

(2)他乒乓球打得越来越好。

(3)我对汉语学习越来越有信心了。

(4)我国某些基础研究项目,同发达国家的差距越来越大。

课堂练习

一、改正下列段落中比较句的语法错误

今天是一个星期天,天气和昨天相同暖和。我和我的朋友刘林一起骑自行车去香山看红叶。我的自行车比他的很旧,骑到半路上,我的车坏了,我们只好去一个修理店修自行车。修理店的小伙子有我们更年轻。他说他已经工作三年了。他一边工作,一边在电视大学学习机械。他说电视大学比一般的大学不一样,是业余时间学习。他虽然很忙,但是仍然坚持学习。我们跟他聊天,觉得很有意思。不一会儿,他就把车修好了。现在,我的自行车比以前非常好骑。

二、读下列对话，用比较句写出老王的想法

（比；不如；跟……一样；越来越；像……一样；有……这么/那么……）

老王是个马马虎虎的人。一天，他在路上碰到一位先生，老王老远就跟那位先生打招呼。

老王：张平，你的变化多大呀！以前你的个子挺高的，怎么现在矮了？

先生：你是……

老王：以前你红光满面的，现在却面黄肌瘦的！

先生：我不……

老王：你说话的声音也变了。以前你的声音多大呀！可是现在……

先生：我好像不认识你。

老王：张平，你的眼睛原来就不太方便，现在更不行了吧！

先生：我不姓张，也不叫张平！

老王：怎么？你连名字都改了！

三、分成小组，每人选择一题作口头作文，要求适当地运用表示比较的句式

1. 我更喜欢踢足球/打篮球/听音乐/旅游……

提示：介绍你的爱好，选择介绍你最感兴趣的一种介绍。

2. 北京（或其他城市）的印象

提示：可以谈初到北京的感受，把它和你的家乡对比，说出两地的自然条件、文化习俗等等方面的不同之处。

3. 我家的变化

提示：家庭生活中有时由于某方面的原因和影响，在观念、家人的关系、生活习惯等起或大或小的变化。比如说，也许最近大家都受弟弟的影响，迷上了足球……

作文练习

1. 外貌和性格

提示：你认为外貌对人的生活、前途有没有决定性的影响？外貌比聪明才智重要吗？为什么？

2. 谈语言学习的环境

提示：在中国学习汉语和在自己的国家学习汉语有什么不一样？当然跟中国人说话的机会可能比在自己的国家多得多；老师教课的方法也不一样……从各个方面考虑一下，再找出自己感触最深的方面谈。

3. 我们和父母 存在“代沟”吗？

提示：年轻人和家长有不同的经历，看问题也有不同的态度，可以通过一些具体事例谈谈你和自己的父母的关系以及自己对此的看法。

第十九课

训练重点

1. 微型调查
2. 引出调查结果的语句
3. 引语的运用
4. 关联词语的运用(3)

范　　文

提示:社会调查是根据自己的观察、体验和研究提出社会生活中的某一个方面的问题或现状,也提出作者的观点,表明作者的态度。这里的微型调查用十分简短的篇幅指出社会生活的某个侧面。

一、现代人忽视早餐

由日本等三个国家的营养学专家所作的这项调查,涉及日本、韩国、马来西亚、中国、泰国、菲律宾、印度尼西亚等七个国家的九个城市,共对居住在上述地区的数百位人士进行了调查。年龄跨度为20岁至60岁。

从各国各地区的情况来看,每周一次以上不吃早餐者,以工业迅速发展的泰国居首位,为38%,其余依次为韩国和印度尼西亚(33%)、北京(25%)、菲律宾(23%)、日本(17%)、广州(13%)、马来西亚(10%)和上海(9%)。其中从不吃早餐者的人数排列,依次为印度尼西亚、北京和泰国。

调查数据显示,不吃早餐者以年轻人居多。在韩国,20至35岁年龄阶段,将近50%的人经常不吃早餐。回答“没有时间吃早餐”和“无食欲”者,在各国每个地区都高达50%左右。

一项来自美国的研究表明，与不吃早餐的孩子相比，吃早餐的孩子从事某种智力活动的能力显然要强得多。为此，营养学专家建议各国卫生福利、劳动、交通部门应制订相应对策，保证人们有充裕时间进食早餐。

（节选自《北京晚报》）

生　词

忽视	hūshì	neglect
营养	yíngyǎng	nutrition
跨度	kuàdù	span
依次	yīcì	in order
显示	xiǎnshì	show
福利	fúlì	welfare
充裕	chōngyù	ample

二、日本青年的择偶标准
——人品、经济、容貌

随着时代的发展和经济增长的波动，日本青年男女的择偶标准也在不断变化。最近日本厚生省对日本单身男女进行的一次社会调查表明，现代日本男女青年选择配偶时，男女都把对方的人品列为第一选择标准。在其他方面，男女择偶标准有所不同。男的注重女方的容貌和年龄；女的注重男方的经济实力、职业、外貌、家庭关系和学历等。有90%的男青年和90.2%的女青年表示，如果找不到理想的配偶，他们宁愿等下去，也不草率结婚。这也反映日本青年中的独身倾向有所发展。

调查结果还表明，日本男子的平均结婚年龄为28.9岁，女子为26.4岁。男子希望女的比自己年轻，差一个年龄阶层也没有关系；女的则希望男的比自己大2—3岁。

结婚后，希望留在家里作专职主妇的女青年只占32.5%，有45.8%的女青年主张在生育后重新就业或在社会上做兼职工作。30.4%的男子希望自己的妻子作专职主妇，44.2%对妻子重新就业表示理解。

总的看来，在经济高速增长时期，日本女青年的择偶标准是“三高”，即身材高、学历高、收入高。现在连年的经济萧条使女青年的择偶标准也发生了重大变化，“三高”变成了“三强”，即对困难环境的忍耐力强，对自己情绪的克制力强，第三是体格强。

生 词

择偶	zéǒu	choose a spouse
学历	xuélì	record of formal schooling
草率	cǎoshuài	casual, ill-considered
人品	rénpǐn	character
兼职	jiānzhí	part-time job
忍耐	rěnnài	exercise patience
克制	kèzhì	exercise restraint

三、青少年吸烟心理调查

吸烟现象，已逐渐成为全国青少年中较严重的行为问题。我国在校男大学生的吸烟率已在27%以上。由于社会上种种因素的影响，初中、高中学生的吸烟率有大幅度上升。青少年吸烟与生活环境和心理因素有很大的关系。根据调查发现青少年吸烟的心理原因有以下几个方面：

第一，从众模仿。青少年身心逐渐发育成熟，他们要求以成人自居。看到长辈吸烟，便认为“只有吸烟才像个大人”，于是就模仿。

第二，社交需要。学生生日聚会、郊游等社交场合中，他们认为递上一支烟可以融洽气氛，缩短心理距离。青少年重友情，朋友抽烟，自己也就在你来我往中吸上了。

第三，逆反心理。有些青少年对社会、学校、家庭的教育产生了逆反心理。反正你越是劝阻，就越想试试，总想“对着干”。

第四，寻求解脱。有的青少年在学习、工作、生活上受到挫折，比如失恋、考试落榜、待业无助、人际关系紧张或家庭不和睦等，就灰心，并以为抽烟可以帮助自己摆脱烦恼。

除了以上主要的四方面，其他还有一些，这里不一一列举。要控制青少年吸烟率上升势头，就应该了解他们的心理基础，以便“对症下药”，采取有效的教育手段。

生 词

模仿	mófǎng	imitate
发育	fāyù	develop
融洽	róngqià	make friendly, relax
逆反心理	nìfǎn xīnlǐ	antagonistic psychology, spirit of rebellion
解脱	jiětuō	escape
挫折	cuòzhé	setback, reverse
和睦	hémù	harmony
摆脱	bǎituō	free oneself from
对症下药	duìzhèng-xiàyào	suit the remedy to the case

四、读书还是打工？

7月，学生盼望已久的假期终于来到了。将近两个月的假期，他们作了什么安排？读书还是打工？记者带着这些问题采访了人大、北大、清华、北京理工等几所大学的学生。回答尽管不一，但他们的选择都经过了一番认真思考。

调查中笔者发现，有相当一部分同学认为读书和打工比较起来，还是读书更为重要。人大行政学所95级研究生李某，是人大研究生会的干部。谈起这个话题时，他毫不犹豫地选择了前者。他说：“经济社会，谁也离不开钱，但不能把钱看得太重。假期是一段宝贵的时间，第一年主要精力都花在英语上了，专业书读得不多，所以想趁暑假多啃几本专业书，写几篇论文。”李告诉记者，他在导师的指导下给自己开了一份长长的书单，白天大部分时间在学校图书馆的阅览室里度过。有些书尽管很难啃，但硬着头皮读下去，还是很有收获。

在北大未名湖畔，记者采访了一个正在专心读英语的研究生。他认为利用暑假打打工无可非议，但要处理好读书和打工的关系。学生应以学习为主，打工只能放在次要的位置。至于他本人，这个假期将会全力强化英语。他现在正在上一个GRE强化班。每天除了吃饭、睡觉，剩下的时间几乎全在看书。

假期，很多学生没有离开校园，尽管外面的世界很精彩，但他们还是选择了读书。在人大图书馆可以容纳300人的自习室里，常常是座无虚席。北大物理系的研究生陈廷通说："在学校里读书的条件太好了，看到许多毕业的朋友那么想回到学校里来读书，我们怎么能不好好珍惜现在的机会呢？现在如果不好好利用这个读书的机会，将来会后悔的。"

打工的同学又是怎样看这个问题的呢？我们的调查表明，大部分选择打工的学生只是为了解决经济上的问题。

在海淀图书城，记者碰到了三个理工大学的学生，他们身后的广告告诉我们他们正在联系家教，努力把自己推销出去。他们都是大二的学生，都来自农村，希望利用假期打工挣点学费，减轻一些家里的经济负担。从他们朴素的着装，朴素的谈吐中，记者感受到他们打工也是出于一个朴素的目的，渴望早一点自立，减轻家里的负担。

一位自费硕士生告诉记者，他假期的主要任务就是打工，希望尽可能多挣些钱，因为一开学，他就要交上一万多元的学费，这还不包括他的生活费，对他来说，这真是一个天文数字。他说，好在北京挣钱的机会比较多。他除了在一家公司打工外，还兼做家教。这当然很辛苦，但他充满了自信。

读书还是打工，这个问题没有什么标准答案，每个人可以根据自己的情况作出合理的选择，而且都会有一定的收获。

（节选自《中华读书报》，作者胡斌。）

生　词

毫不犹豫	háobù-yóuyù	without the least hesitation
无可非议	wúkě-fēiyì	beyond reproach, not reprehensible
家教	jiājiào	private teacher
负担	fùdān	burden
自费	zìfèi	at one's own expense
天文数字	tiānwén-shùzì	astronomical figure

说　明

一、在微型调查以及通过实例说明问题的文章中，常用以下语句引出调查的结果，或作出某个判断与结论

1. 调查表明……

例如：

(1)最近的一次调查表明，我国城市的人口增长率得到了控制。

(2)我们所作的一个调查表明，小学生患近视的比例又在增加。

2. 统计数字表明……

例如：

(1)统计数字表明，今年的粮食总产量高于以往几年。

(2)最近公布的统计数字表明，市民对电信服务的需求量超过了现有的设备所能提供的。

3. 我们从调查中发现……

例如：

(1)我们从调查中发现，这家工厂废水长期以来没有经过净化处理。

(2)我们从调查中发现，假期有半数以上的大学生参加了各种各样的社会实践活动。

4. 从这项调查中，我们可以得出这样的结论……

例如：

(1)从这项调查中，我们得出这样的结论：应该全面抓质量管理，才能打开产品的市场。

(2)从这项调查中，我们得出这样的结论：培养学生的能力在学校的应试教育中被忽视了。

5. 调查数据显示……

例如：

(1)调查数据显示，不吃早餐者以年轻人居多。

(2)调查数据显示，一般年龄大的人对这种活动持比较温和的态度。

二、在文章中引述别人的意见来说明道理，有以下两种方式

1. 直接引述：在文章中，为了加强文章的真实性和说服力，常引用古人、名人及当事人的话语，例如：

(1)他们的行动得到当地群众的好评，80多岁的退休老人吴大爷说："有了你们这样乐于助人的民警同志，我们就放心了。"

(2)李某说："经济社会，谁也离不开钱，但不能把钱看得太重……"

2. 间接引述：有时引述别人的看法是取主要的意思，而不是原话，则可以间接表示，不用引号，例如：

(1)在北大未名湖畔，记者采访了一个正在专心读英语的研究生。他认为利用暑假打工无可非议，但要处理好读书和打工的关系。学生应以学习为主，打工只能放在次要的位置。

(2)一位自费硕士生告诉记者，他假期的主要任务就是打工，希望尽可能多挣些钱，因为一开学，他就要交上一万多元的学费，这还不包括他的生活费，对他来说，这真

是一个天文数字。

三、关联词语的运用

1. 虽然……但是……

例如：

(1)虽然她没有出众的容貌，但是靠自己的表演才华，她主演的电影取得了很大的成功。

(2)虽然打工可以带来一些经济利益，但是要损失很多可以用来读书的时间。

2. 尽管……可是/但是/还是/仍然

例如：

(1)尽管这种工作工资不高，他还是选择了它。

(2)尽管困难很大，但是他不想放弃自己的努力。

3. 即使……也

例如：

(1)即使你去了，也没有办法解决那里的问题。

(2)即使我再给他打电话，他也不会同意来参加这个会议。

4. 宁愿……也不/也要……

例如：

(1)他们宁愿等下去，也不草率结婚。

(2)我宁愿不去旅游，也不放弃暑期工作的机会。

(3)她宁愿舍弃优裕的生活条件，也要去边远地区从事她热爱的考古工作。

课堂练习

一、分小组活动，两人互为采访对象，就以下某个问题提问及回答，说出自己的看法，注意用适当的语句直接或间接引述采访对象的意见说明问题

1. 留学生对食堂的看法

2. 留学生之间的交际语言

3. 留学生的课余生活

4. 留学生学习汉语的目的调查

二、填入适当的关联词语

1. 我认为假期的主要目的是休息和阅读各种书籍。(　　)我没有很多钱，(　　)我不打算去打工。打工(　　)在经济上有一定的收获，(　　)一个假期工作，会使你觉得很疲劳，在新学期没有旺盛的精力投入学习。

2. 小张是个球迷，国际足球比赛的时候，电视转播的事件常常安排在深夜，他(　　)不睡觉，(　　)放过一场精彩的比赛。

3. 每个星期天，他都按时去公园找老朋友下棋，(　　)最近他身体不太好，(　　)没有间断。

4. 我的朋友马上要来到北京，一个星期以后就要去西安，他很想看看北京的名胜古迹，(　　)最近天气不好，我(　　)打算陪他去各处参观游览。

5. 我的同屋学习很用功，(　　)老师没有留作业，他(　　)做很多课外练习。

6. 我(　　)一个人去,(　　)想要他这样的人陪着。

三、分成小组,阅读下列材料,每人都从中选择相关的内容,来谈自己对某个问题的看法

参考题目:

1. 什么是真正的父爱/母爱

2. 良好的习惯和品质是成功的基础

3. 怎样正确看待事物?

4. 怎样培养乐观的性格?

5. 理想和现实

1. 清代画家郑板桥,虽然老来得子,却从不溺爱。他病重时把儿子叫到床前,要吃儿子亲手做的馒头。儿子不敢违背,只好答应。只是他不会做,郑板桥命他去请教厨师。儿子去请教厨师,好不容易把馒头做好端来,郑板桥已经断气。儿子哭着跪在床前,看见父亲临终前留下的纸条,上面写着:“淌自己的汗,吃自己的饭,自己的事自己干。靠天,靠人,靠祖宗,不是好汉!”儿子这才明白父亲要自己亲手做馒头的用意。

2. 有人问一位诺贝尔奖获得者:“您是在哪个实验室学到了你认为最重要的东西?”这位学者回答说是在幼儿园。“在幼儿园学到了什么呢?”“把自己的东西分一半给小伙伴们;不是自己的东西不要拿;东西要放整齐;吃饭前要洗手;做错了事要表示歉意;午饭后要休息;要仔细观察周围的大自然。从根本上说,我学到的东西就是这些。”

3. 两个小姑娘走进玫瑰园,其中一个出来后对她母亲说:“这是个坏地方!因为这里每朵花的下面都有刺。”另一个姑娘说:“这是个好地方,因为这里每根刺上面都有花。”

4. 拿破仑有一句名言:“不想当元帅的士兵就不是好士兵。”俄国文艺批评家别林斯基却说:“每个人不一定能做他想做的或应该做的,而应做他可以做的。拿不到元帅杖,就拿枪,拿不到枪,就拿铁铲。”

作文练习

提示:选择一个题目。然后作一些采访或调查,列举事实,使自己的文章内容充实,有说服力。

1. 中国大学生的业余生活

2. 北京商店的服务态度

3. 北京的交通情况

4. 中国大学生/年轻人的理想职业

5. 我国青年的择偶观

提示:可以仿照范文二,谈谈在你的国家年轻人选择理想的伴侣时,主要从哪些方面考虑,即看重哪些条件。

第二十课

训练重点

1. 通过事实等论据说明道理
2. 关联词语的运用(4)
3. 连接句段的词语(2)

范　文

一、勤奋与灵感

说起发明创造来,科学史上有许多妙趣横生的故事。

二百多年前法国一位医生想发明一种能判断胸腔里健康状况的器械。他经过刻苦钻研,始终想不出什么好办法。一天他领着女儿到公园玩。当他女儿玩跷跷板的时候,他偶然发现:用手在跷跷板上轻轻敲,敲的人自己几乎听不见,而别人把耳朵贴近跷跷板的另一端却听得清清楚楚。他高兴得大喊起来:“有办法了!”马上回家用木料做了一个喇叭型的东西,把小的一端塞在耳朵里,大的一端贴在别人的胸部,不仅声音清晰,而且使用方便。世界上第一个听诊器就这样降生了。

鲁班发明锯子的传说,同样给我们深刻的启示。据说有一次上山用手拉着丝茅草攀登,一下子把手拉破了。鲁班发现丝茅草两边有许多细齿轮,顿时心里一亮:茅草的细齿能拉破手,用铁片做成细齿不是可以锯树吗?他立刻和铁匠一起试制,做成了木工最常用的工具——锯子。许多人都被茅草拉过手,而只有鲁班由这件事启发了灵感,发明了锯子。

由此可见,对某一个问题,有时经过了长时间的研究探索还找不到解决的办法，偶尔受一件小事的启发，顿时灵机一动，解决了问题。这真是“踏破铁鞋无觅处，得来全不费功夫”。但是，我们不能忽略，只有经过长期的思考，大脑才会有高度的科学敏感性，才能一触即发，迸发出灵感的火花。

如此看来，科学家的灵感并不是什么神秘莫测的东西。关键在于勤奋，在于实践，在于不怕失败，努力探索。

生 词

妙趣横生	miàoqù-héngshēng	witty, droll
胸腔	xiōngqiāng	chest
跷跷板	qiàoqiàobǎn	seesaw
听诊器	tīngzhěnqì	stethoscope

踏破铁鞋无觅处，得来全不费功夫

tàpò tiěxié wú mìchù, délái quánbù fèi gōngfu

find something accidentally after trekking miles in vain for it

敏感	mǐngǎn	sensitive
一触即发	yīchù-jífā	be triggered at any moment
迸发	bèngfā	burst out
神秘莫测	shénmì-mòcè	mysterious and unfathomable
丝茅草	sīmáocǎo	cogongrass
探索	tànsuǒ	explore

二、也谈“深蓝”

《文荟》刊出了王干的文章《深蓝的启示》，认为人类被计算机打败了。这种观点，我不能苟同。

阿塞拜疆国际象棋大师卡斯帕洛夫与计算机“深蓝”对弈，终于以卡斯帕洛夫失败而告终。这说明什么呢？是不是说明：机器战胜了人？人就开始在物面前，处于不知所措的处境了呢？我认为不是，起码这个实例不能证明。相反，这是人类在前进中极为正常的事。它又一次显示出人类的智慧有无穷无尽的力量，而且，这是无数次类似事件的重复。比如能见度很低的情况下，轮船和飞机的导航员自动让位于自动导航仪。再比如，用炮瞄镜直接瞄准、人工操纵炮管俯仰旋转的高射炮，绝对不如自动发现、反应(瞄准、升空、拦截)目标(飞机或导弹)的导弹系统速度快、命中率高。一台自动车床,与一台人工操纵的车床竞赛,其加工速度与加工精度,前者远胜于后者。即使一台老式PC机,进行数学运算,不但速度,其精确度也远比人用心算笔算高得多。这些例子比比皆是,都不仅仅是速度力量的比较,其中有"智慧"在。卡斯帕罗夫与计算机"深蓝"对弈,这种人"机"较量的形式和结果,并不是唯一的,空前的。

其实,自从人类发明简单工具开始,工具就包含着人的智慧在里面。最简单的车床,其切削方法,也是人工切削方法的转化。有了车床,人们感觉到的是惊喜,而不是不安。

我也并不认为卡斯帕洛夫负于电脑"深蓝",就是机器战胜了人,物战胜了人。"深蓝"是人制造的,硬件、软件都是人制造的。卡斯帕洛夫的对手,其实是人,而且不是一个人,它包含着无数人的智慧,包括发现电、半导体并实现可使用性的人们,也包括世界级的国际象棋大师们,也包括卡斯帕洛夫自己的智慧。就在对弈开始,也有人参与——起码要有人给电脑接上电源。如此看来,卡斯帕洛夫是负于人,而不是负于物。而且,这种较量,是不对等的较量,所以从一开始,就注定了卡斯帕洛夫的失败。因此,卡斯帕洛夫大可不必为此懊丧,而人们也没有必要为此忧心忡忡。

(节选自《光明日报》,作者叶楠。)

生 词

苟同	gǒutóng	agree without giving serious thought
对弈	duìyì	play chess together
告终	gàozhōng	come to an end, end up
能见度	néngjiàndù	visibility
瞄准	miáozhǔn	take aim, aim
俯仰(运动)	fǔyǎng(yùndòng)	pitching (movement)
高射炮	gāoshèpào	antiaircraft gun
拦截	lánjié	intercept
车床	chēchuáng	lathe
切削	qiēxiāo	cutting

硬件	yìngjiàn	hardware
软件	ruǎnjiàn	software
注定	zhùdìng	be doomed
忧心忡忡	yōuxīn-chōngchōng	heavy-hearted

三、金钱与快乐

金钱和快乐,你认为哪样比较容易得到?相信大多数人会回答“快乐”。错了,其实金钱比快乐容易得到;而拥有金钱并不能保证同时拥有快乐的心情。

虽然,在这个世界上,富人占少数,而穷人占多数,看起来好像财富比较难到手,但实际上财富可以通过不断努力获取,而快乐却很难抓得住。

说也奇怪,有钱人常常羡慕穷人悠闲自在,穷人又羡慕有钱人生活优越。好像很少有人对自己真正满意,让自己快乐。大多数人既想得到财富,又想得到快乐,但他们也相信很难同时拥有这两样东西。世界上单纯的快乐似乎很容易被人遗忘,事实上,生活中有许多美好的事物是免费的。看夕阳、读书、散步、聊天、到公园去运动,这些快乐几乎不用花钱,却乐趣无穷。

不可否认,钱是一个人维持生活的因素,但当一个人的基本需求得到满足之后,钱将不会使我们得到更多的快乐。比如:有一个一无所有的人,穷得连落脚的地方都没有,这时候,他只要有一间房子,对他已经是很大的满足了;假如他继续赚到很多钱,足以买下一栋豪华大厦,他的快乐并不一定会增加,说不定,反而会为多出来的房间烦恼呢。

现代人往往过着过分奢侈的生活而不觉。你不妨回家看看你的衣橱,是不是起码有一半以上的衣物可以考虑扔掉?很多女士衣橱里的衣服,大大超过了实际需要;大多数人每日摄取的食物热量,平均超过了基本需求量38%。

著名的英国经济学家凯因斯早就指出,当人们的金钱问题消失以后,代之而起的是如何追求精神上的美好生活。另一位经济学者高伯瑞也指出："过度强调金钱并不能给人们带来保障。如果空气脏到不能吸到肺里，水污染到不能喝，城市交通混乱，罪犯到处横行……如果这样的话，我不知道钱多有什么好处。"

（节选自《海外文摘》，作者王梅。）

生　词

迎刃而解	yíngrèn'érjiě	easily solved
奢侈	shēchǐ	luxurious
保障	bǎozhàng	security
罪犯	zuìfàn	criminal
横行	héngxíng	run amuck
肺	fèi	lungs

说　明

一、列举事实的词语

1. 拿……为例

(1)拿听诊器的发明为例……

(2)学习汉语并不像人们所说的那么难，拿发音为例……

2. 譬如说……

体育运动在某些地方，商业化的趋势很明显。譬如说，有的运动员出场要高额的出场费；他们不愿意参加那些付不出高额费用的较为落后地区举行的比赛。

二、引出结论的词语

1. 如此看来

(1)如此看来，上大学并不是年轻人唯一的出路。

(2)如此看来，卡斯帕洛夫是负于人，而不是负于物。

2. 由此可见

(1)由此可见，不注意培养学生的能力是不可取的教学方法。

(2)自从开展义务植树活动以来，有百分之九十的学生都参加了这项活动，由此可见，同学们的积极性是很高的。

3. 上述事实表明

(1)上述事实表明，质量问题仍然很严重，需要引起有关方面的重视。

(1)上述事实表明，发音练习在初级阶段应该特别重视。

4. 总而言之

(1)总而言之，大学生假期打工能够丰富他们的社会经验，为将来走向社会作好准备。

(2)总而言之，环境保护问题越来越引起人们的关注。

三、关联词语的运用

1. 只有……才……

(1)只有经过长期的思考，大脑才会有高度的科学敏感性，才能一触即发迸发出灵感的火花。

(2)只有通过自己的努力，才能获得事业的成功。

2.只要……就……

(1)只要发现运动员有使用兴奋剂的行为，就要给予严厉的处罚。

(2)这时候，他只要有一间房子，对他已经是很大的满足了。

3.不管……也……

(1)中国人一般不管他们自己的工作和学习多忙，也要亲自照顾自己家里的老人。

(2)机器的功能不管设计得怎样完善，也要靠人来操纵。

4.无论……都……

(1)如果他们有问题的话，无论是个人生活问题，还是关系到政治经济方面的问题，他们所在的单位组织或亲戚都会知道，并帮助他们解决。

(2)无论你采取什么措施，这种后果都无法避免。

课堂练习

一、读下列段落，注意下边带点的字的关联词语及其用法

1.在非洲，每天早晨羚羊睁开眼睛，所想的第一件事就是：我必须比跑得最快的狮子跑得更快，否则，我就会被狮子吃掉。而就在同一时刻，狮子从睡梦中醒来，首先闪现在脑海的一个念头是：我必须能追得上跑得最慢的羚羊，要不然我就会饿死。于是，几乎是同时，羚羊和狮子一跃而起，迎着朝阳跑去。

生活就是这样，不论你是羚羊还是狮子，每当太阳升起的时候，都毫不迟疑地向前奔跑。

2.跟真诚的朋友在一起，你不必时时提防。如果他对你有反感，他会立刻表露出来，只要你能坦白承认错误，或者诚恳地把误会解释清楚，他就能够理解你、原谅你。

对那些能够关心你、鼓励你的朋友，你应该敬爱他们。只有这种朋友，才能在你的事业上给你帮助，精神上给你安慰；只有这样的朋友，才是你生活道路上的知心伙伴。而那些酒肉朋友，一概不可深交，离他们越远越好。

总之，交朋友应该有所选择，以诚相待；否则，你将不会有真正的朋友。

二、用所给的词语填空

1.为了；如果……那么……；只要……就……；不仅……还……

(1)(　　)你认为高职、巨款才是快乐，(　　)你就不会有很多快乐；(　　)你认为快乐来自一顿丰盛的早餐，田野的新鲜空气，一次与朋友的交谈，(　　)快乐就永远在你身边。

(2)去年夏天，我(　　)更多地了解中国，独自到中国各地旅行。(　　)有机会，我(　　)跟中国人用汉语交谈，经过一个月的旅行，我(　　)看到了许多中国的名胜古迹，(　　)提高了我的汉语水平。

2.虽然……但是……；不管……也……；无论……都……

(1)有些人喜欢随大流，以别人的选择代替自己的思考。看见别人留起了披肩发，(　　)自己脸型如何，(　　)蓄起了长发；看见别人经商，(　　)自己有没有经济头脑，(　　)去做买卖。面对种种选择，一个人(　　)做什么决定，(　　)应该独立

思考,随大流并不可靠。

(2)有位老人说,他女儿是个大学生,在一个偶然的机会认识了一个个体户。(　　)这个个体户貌不惊人,而且文化程度也不高,(　　)姑娘对他却是一见钟情。(　　)父母怎么反对,她(　　)不改变主意。

三、改正下列句子的错误

1.明天无论天气下雨,我都要去飞机场接我的朋友。他是第一次来北京,所以我很担心会迷路。我说北京的路很整齐,我住在市中心,很容易找到。只有买一张北京交通图,才能找到我住的地方。

2.我妹妹很喜欢看电视,这没有什么奇怪的,很多人都喜欢看电视。可是我妹妹特别喜欢看电视上的化妆品广告,无论这种广告没有意思,她都爱看。而且只要电视广告有上的化妆品,她想买来试一试。

四、分小组讨论,就下列的问题提出自己的看法。谈谈这些观点有没有道理,提供例证说明。每个小组选一个人记录大家的发言,然后由一个小组代表在班上提出本小组的观点和论据

1.学习效率和情绪成正比,情绪好,效率就高

2.人与人之间的矛盾往往是误会造成的

3.在成功之路上机遇非常重要

五、读范文三,你认为金钱和快乐的关系是怎么样的?列一个提纲,在班里作一篇同样题目的口头作文

作文练习

1.怎样才能提高学习效率

提示:有的人用来学习的时间不少,可是效果不佳。学习效率无疑是很重要的问题。你有什么好的建议?列出一两个具体的事例来说明。

2.友情和个性

提示:你认为性格不同的人能成为好的朋友吗?用你的或他人的实例作论据表明你的看法。

3.谈电视广告

提示:有人认为电视广告给人们一个很好的了解产品信息的窗口,也有人认为广告的泛滥造成不少问题。就这个问题谈谈你的看法。

4.谈理想

词语总表

(词语后的数字为课文序号)

安眠药	ānmiányào	sleeping pill	3
百感交集	bǎigǎn-jiāojí	have mixed feelings	6
摆脱	bǎituō	free oneself from	19
保姆	bǎomǔ	housekeeper	13
保障	bǎozhàng	security	20
报案	bào'àn	send for the police, report a case (to the authorities)	13
报答	bàodá	repay	17
迸发	bèngfā	burst out	20
比喻	bǐyù	draw an analogy	1
编导	biāndǎo	playwright-director	17
编辑	biānjí	editor	14
别出心裁	biéchū-xīncái	be original in one's ideas	14
兵荒马乱	bīnghuāng-mǎluàn	fighting and confusion, turmoil and chaos of war	6
不讲二话	bùjiǎng-èrhuà	not think twice, not demur	5
不可思议	bùkě-sīyì	beyond comprehension, unimaginable	5
不慎	bùshèn	careless	4
部首	bùshǒu	radicals (by which Chinese characters are arranged in dictionaries)	9
财大气粗	cáidà-qìcū	the brashness of the wealthy	7
采风	cǎifēng	learn local practices and customs	7
草率	cǎoshuài	casual, ill-considered	19
草图	cǎotú	draft, rough plan	12
查收	cháshōu	(often used in written message) please find	8
产假	chǎnjià	maternity leave	6
长矛	chángmáo	spear	1
畅销	chàngxiāo	sell well	9
车床	chēchuáng	lathe	20
陈旧	chénjiù	old-fashioned	11
沉默寡言	chénmò-guǎyán	taciturn	16
承受	chéngshòu	bear, endure	17
成熟	chéngshú	ripe	9

池	chí	pond	3
驰名	chímíng	famous	10
充裕	chōngyù	ample	19
崇拜	chóngbài	respect	8
宠物	chǒngwù	pet	15
抽屉	chōuti	drawer	6
酬金	chóujīn	monetary rewards	7
丑八怪	chǒubāguài	a very ugly person	14
丑陋	chǒulòu	ugly	7
初衷	chūzhōng	original intention	18
锄头	chútou	hoe	1
穿梭	chuānsuō	go to and fro, dart back and forth	15
吹牛	chuīniú	boast	8
吹嘘	chuīxū	boast	1
疵点	cīdiǎn	defect	17
刺	cì	penetrate	1
刺激	cìjī	stimulus	15
簇拥	cùyōng	cluster round	12
错落	cuòluò	irregular, random	11
措施	cuòshī	measure	17
挫折	cuòzhé	setback, reverse	19
答辩	dábiàn	oral examination, viva	4
打趣	dǎqù	make fun of, banter	17
打烊	dǎyàng	close the store for the night	
大葱	dàcōng	green Chinese onion	3
呆头呆脑	dāitóu-dāinǎo	dull-looking	14
歹徒	dǎitú	hoodlum	15
单调	dāndiào	monotonous	3
导师	dǎoshī	supervisor, teacher	4
导致	dǎozhì	result in, cause	17
倒影	dàoyǐng	inverted reflection	18
登载	dēngzǎi	publish (in newspapers or magazines)	13
等闲视之	děngxián-shìzhī	regard as unimportant	18
递减	dìjiǎn	decrease progressively	12
递增	dìzēng	increase progressively	12
点缀	diǎnzhuì	embellish	15
殿宇	diànyǔ	palace	12
订正	dìngzhèng	correct	8
动弹	dòngtan	move, stir	10
动员	dòngyuán	mobilization	12

逗	dòu	play with a child	5
堵塞	dǔsè	jam, block up	16
杜绝	dùjué	put an end to	17
端庄	duānzhuāng	dignified	12
对弈	duìyì	play chess together	20
对症下药	duìzhèng-xiàyào	suit the remedy to the case	19
蹲	dūn	squat down	3
盾牌	dùnpái	shield	1
噩耗	èhào	awful news	13
发奋	fāfèn	work energetically	17
发狠	fāhěn	make a determined effort	17
发迹	fājì	gain fame and fortune	17
发誓	fāshì	pledge, vow	17
发行	fāxíng	put on sale, distribute	16
发育	fāyù	develop	19
翻来覆去	fānlái-fùqù	toss and turn	3
翻天覆地	fāntiān-fùdì	earth-shaking, tremendous	18
凡例	fánlì	notes on the use of a book	9
凡人	fánrén	ordinary person	8
繁多	fánduō	numerous and varied	16
繁星	fánxīng	an array of stars	11
仿佛	fǎngfú	seem, as if	11
仿唐乐舞	fǎng Táng yuèwǔ	Tang-style music and dance	5
非议	fēiyì	reproach, censure	6
翡翠	fěicuì	jade	11
肺	fèi	lungs	20
分析	fēnxī	analyse	9
讽刺	fěngcì	satire	
扶老携幼	fúlǎo-xiéyòu	help the aged and the young	16
福利	fúlì	welfare	19
俯瞰	fǔkàn	look down over	12
俯仰(运动)	fǔyǎng(yùndòng)	pitching (movement)	20
赴	fù	go to	5
负担	fùdān	burden	19
负心	fùxīn	be fickle, fail to be loyal to one's love	3
干脆	gāncuì	simply	3
干预	gānyù	intervention; interfere	5
感触	gǎnchù	thoughts and feelings	14
感慨万千	gǎnkǎi-wànqiān	all sorts of feelings well up in one's mind	14
高梁秆	gāoliánggǎn	sorghum stalks	5

高射炮	gāoshèpào	antiaircraft gun	20
高耸入云	gāosǒng-rùyún	soar up to the sky	11
告终	gàozhōng	come to an end, end up	20
隔	gé	stand or lie between, separate	1
公害	gōnghài	environmental pollution	15
公爵	gōngjué	duke	9
公文包	gōngwénbāo	briefcase	4
宫廷	gōngtíng	palace, court	10
苟同	gǒutóng	agree without giving serious thought	20
构思	gòusī	design	12
孤儿	gū'ér	orphan	1
孤僻	gūpì	unsociable and eccentric	16
古筝	gǔzhēng	*zheng*, a 21 or 25 stringed plucked instrument like a zither	5
拐杖	guǎizhàng	walking stick	1
冠冕	guānmiǎn	royal crown	12
冠冕堂皇	guānmiǎn-tánghuáng	high-sounding	18
观念	guānniàn	concept, idea	18
光顾	guānggù	patronize	14
龟	guī	turtle	7
规划	guīhuà	project, planned	16
棍棒	gùnbàng	stick, cudgel	10
棍子	gùnzi	stick, cudgel	1
裹	guǒ	wrap up	1
海报	hǎibào	announcement, playbill	4
毫不犹豫	háobù-yóuyù	without the least hesitation	19
好歹	hǎodǎi	at any rate	13
何苦	hékǔ	why bother	7
和睦	hémù	harmony	19
和尚	héshang	Buddhist monk	1
合群	héqún	get on well with others	16
合同	hétong	contract	4
狠心	hěnxīn	cruel	1
衡量	héngliáng	measure	8
横行	héngxíng	run amuck	20
后悔	hòuhuǐ	regret	1
忽视	hūshì	neglect	19
化妆品	huàzhuāngpǐn	cosmetics	15
回首	huíshǒu	look back	6
荟萃	huìcuì	(of distinguished people or exquisite objects)	

		gather together, assemble	18
魂不守舍	húnbùshǒushè	dazed	7
浑浊	húnzhuó	turbid	14
混乱	hùnluàn	chaos, confusion	15
火箭	huǒjiàn	rocket	15
获益匪浅	huòyì-fěiqiǎn	reap considerable benefit	13
击垮	jīkuǎ	defeated, overwhelmed	8
急切	jíqiè	eager	17
集市	jíshì	market	1
棘手	jíshǒu	knotty	9
即兴	jíxìng	impromptu	13
寄予	jìyǔ	show, give	6
家教	jiājiào	private teacher	19
艰难	jiānnán	difficult, hard	1
兼职	jiānzhí	part-time job	19
简陋	jiǎnlòu	basic, crude	5
检字法	jiǎnzìfǎ	indexing system for Chinese characters	9
健忘症	jiànwàngzhèng	amnesia	3
姜	jiāng	ginger	3
娇艳	jiāoyàn	delicate and charming	9
交易所	jiāoyìsuǒ	trading place	10
校对	jiàoduì	proofread; proofreader	17
接踵而来	jiēzhǒng-érlái	following on each other's heels	10
截然不同	jiérán-bùtóng	entirely different	5
节奏	jiézòu	pace, rhythm	15
解脱	jiětuō	escape	19
芥末	jièmò	mustard	9
戒心	jièxīn	wariness	16
金銮殿	Jīnluándiàn	the Hall of Golden Chimes (emperor's audience hall)	12
金丝雀	jīnsīquè	canary	17
谨致谢意	jǐnzhì-xièyì	with sincere thanks	4
禁锢	jìngù	confine, shackle	18
惊险	jīngxiǎn	thrilling	12
惊心动魄	jīngxīn-dòngpò	heart-stirring, moving	14
精益求精	jīngyìqiújīng	keep improving	17
净	jìng	net	12
净化	jìnghuà	purify	17
静寂	jìngjì	silence	11
竞争	jìngzhēng	competition	15
迥异	jiǒngyì	widely different	11

沮丧	jŭsàng	dejected	8
剧增	jùzēng	sharp increase	12
捐赠	juānzèng	contribute (as a gift)	10
卷	juăn	roll up	10
军规	jūnguī	military discipline	10
军旅	jūnlǚ	troops, military	8
均匀	jūnyún	even	10
开朗	kāilăng	cheerful	8
开辟	kāipì	open up, develop	16
抗议	kàngyì	protest	7
烤炙	kăozhì	roast	10
犒劳	kàoláo	reward with food and drink	14
刻不容缓	kèbùrónghuăn	brook no delay	17
坑坑洼洼	kēngkeng-wāwā	(of road surface) full of bumps and hollows	1
克制	kèzhì	exercise restraint	19
恐慌	kŏnghuāng	panic, fear	7
枯燥	kūzào	dull, uninteresting	15
裤兜	kùdōu	trouser pocket	3
挎	kuà	carry on the arm	3
跨度	kuàdù	span	19
宽裕	kuānyù	well-off	13
亏待	kuīdài	treat unfairly	7
魁梧	kuíwŭ	tall and strong	13
捆	kŭn	tie up	1
腊七腊八，冻死鸡鸭	làqī-làbā dòngsĭ-jīyā	on the 7th and 8th days of the twelfth lunar month even chickens and ducks freeze to death	5
拦截	lánjié	intercept	20
栏目	lánmù	column	16
捞	lāo	drag for	3
唠叨	láodao	talk on and on, chatter away	14
冷藏	lěngcáng	refrigerate	9
理科	lĭkē	science, science department	18
两败俱伤	liăngbài-jùshāng	cause damage to both sides	18
良辰美景	liángchén-měijĭng	beautiful scene on a bright day	11
良久	liángjiŭ	a long time, a good while	7
鳞次栉比	líncì-zhìbĭ	row upon row of (houses etc.)	17
临界线	línjièxiàn	critical line	6
琳琅满目	línláng-mănmù	a great variety of beautiful things	11
灵感	línggăn	inspiration	17
玲珑	línglóng	exquisite	6

流派	liúpài	school	10
流连忘返	liúlián-wàngfǎn	enjoy oneself so much as to forget to go home	11
流逝	liúshì	passing	13
垄断	lǒngduàn	monopolize	10
驴	lǘ	donkey	1
路基	lùjī	track, road bed	7
露天	lùtiān	in the open (air); outdoors	16
落榜	luòbǎng	fail entrance examination	8
骆驼	luòtuo	camel	10
麦秸	màijié	wheat straw	5
麦芽糖	màiyátáng	barley sugar, mait sugar	10
埋怨	mányuàn	complain	6
盲人	mángrén	blind person	1
铆钉	mǎodīng	rivet	2
美不胜收	měibùshèngshōu	too beautiful to be absorbed all at once	1
美味佳肴	měiwèi-jiāyáo	delicious food	11
梦幻	mènghuàn	dream	11
迷	mí	fan, fiend	3
弥补	míbǔ	make up, make good	18
弥留	míliú	be dying	13
密密麻麻	mìmi-mámá	thickly dotted	11
瞄准	miáozhǔn	take aim, aim	20
妙趣横生	miàoqù-héngshēng	witty, droll	20
民主	mínzhǔ	democratic	17
敏感	mǐngǎn	sensitive	20
名目繁多	míngmù-fánduō	with many and varied names	9
模仿	mófǎng	imitate	19
抹杀	mǒshā	blot out	8
纳凉	nàliáng	enjoy the cool	11
纳税	nàshuì	pay taxes	15
难以	nányǐ	difficult to	5
能言善辩	néngyán-shànbiàn	be skilled in debate	13
能见度	néngjiàndù	visibility	20
逆反心理	nìfǎn-xīnlǐ	antagonistic psychology, spirit of rebellion	19
逆境	nìjìng	adversity	10
酿酒	niàngjiǔ	wine-making	15
扭打	niǔdǎ	grapple	13
牛郎织女	Niúláng Zhīnǚ	the Cowherd and the Weaving Maid (Chinese legend)	1
牛排	niúpái	beefsteak	9
殴打	ōudǎ	beat up	15

偶然	ǒurán	by chance	7
攀谈	pāntán	chat, engage in small talk	16
培训	péixùn	training	5
配角	pèijué	minor role	8
配制	pèizhì	compound, make up	15
癖好	pǐhào	special hobby	14
媲美	pìměi	rival	7
偏旁	piānpáng	component parts (of Chinese characters)	9
偏僻	piānpì	remote	5
骗	piàn	deceive	1
平淡无奇	píngdàn-wúqí	appear trite and insignificant	9
平平	píngpíng	average, mediocre	18
颇	pō	rather, fairly	10
破案	pò'àn	solve a case	15
扑灭	pūmiè	put cut	1
朴素	pǔsù	simple	14
其貌不扬	qímào-bùyáng	unprepossessing in appearance	7
齐心协力	qíxīn-xiélì	work as one, make a concerted effort	1
启迪	qǐdí	inspiration	8
启事	qǐshì	notice, announcement	4
起劲	qǐjìn	energetically	3
起源	qǐyuán	origin	10
企业	qǐyè	company, enterprise	15
砌	qì	build (by laying bricks or stones)	5
铅灰	qiānhuī	lead gray, leaden	5
千里迢迢	qiānlǐ-tiáotiáo	far far away, from afar	6
歉疚	qiànjiù	apologetic	14
抢劫	qiǎngjié	rob	15
窍门	qiàomen	knack, trick	14
跷跷板	qiàoqiàobǎn	seesaw	20
切削	qiēxiāo	cutting	20
勤勉	qínmiǎn	diligent	13
清澈	qīngchè	clear	11
轻声细语	qīngshēng-xìyǔ	speak softly, whisper	5
情不自禁	qíngbù-zìjìn	cannot contain one's feelings	11
球讯	qiúxùn	sports information, match news	4
驱散	qūsàn	disperse	8
趋势	qūshì	trend, tendency	4
驱使	qūshǐ	prompting	13
热狗	règǒu	hot dog	9

热衷	rèzhōng	hanker for, be keen on	13
人满为患	rénmǎn-wéihuàn	be overcrowded	12
忍耐	rěnnài	exercise patience	19
人品	rénpǐn	character	19
容纳	róngnà	hold	5
融洽	róngqià	make friendly, relax	19
柔和	róuhé	soft	11
入神	rùshén	be deeply absorbed in; superb	5
软件	ruǎnjiàn	software	20
若无其事	ruòwú-qíshì	unconcernedly	6
撒谎	sāhuǎng	tell a lie	1
洒脱	sǎtuō	philosophical	6
三亲六故	sānqīn-liùgù	all the kinsmen and kinswomen (acquaintances)	6
三天两头	sāntiān-liǎngtóu	almost every day	8
色泽	sèzé	colour and lustre	9
傻	shǎ	stupid	1
潸然泪下	shānrán-lèixià	tears trickling down one's cheeks	13
山药	shānyào	Chinese yam	5
闪失	shǎnshī	mishap, accident	17
赏心悦目	shǎngxīn-yuèmù	be pleasant to look at	5
烧烤	shāokǎo	have barbecue	15
奢侈	shēchǐ	luxurious	20
神秘莫测	shénmì-mòcè	mysterious and unfathomable	20
神态	shéntài	manner, expression	12
神往	shénwǎng	be rapt	11
身经百战	shēnjīng-bǎizhàn	be a veteran in battle	8
笙	shēng	*sheng*, a reed pipe wind instrument	5
生死攸关	shēngsǐ-yōuguān	be a life and death matter	8
生涯	shēngyá	career	8
失落	shīluò	lose; loss	13
失意	shīyì	have one's aspirations or plans thwarted	17
时髦	shímáo	fashionable	11
逝世	shìshì	pass away	6
收藏	shōucáng	collect	12
收敛	shōuliǎn	weaken or disappear, restrain oneself	15
守株待兔	shǒuzhū-dàitù	guard a tree trunk to wait for a rabbit	1
拴	shuān	fasten	10
思潮	sīcháo	(thought) trend	4
丝茅草	sīmáocǎo	cogongrass	20
寺庙	sìmiào	temple	1

缩手缩脚	suōshǒu-suōjiǎo	shrink with cold	5
琐事	suǒshì	trivial matters	14
所谓	suǒwèi	what is called, so called	9
索引	suǒyǐn	index	9
踏破铁鞋无觅处，得来全不费功夫	tàpò tiěxié wú mìchù, délái quán bù fèi gōngfu	find something accidentally after trekking miles in vain for it	20
抬	tái	carry	1
摊点	tāndiǎn	vendor's stand, stall	16
忐忑不安	tǎntè-bùān	uneasily, impatiently, restlessly	13
探索	tànsuǒ	explore	9
叹息	tànxī	sigh	1
膛	táng	breast, thoracic cavity, chest	10
糖葫芦	tánghúlu	sugar-coated haws on a stick	5
天文数字	tiānwén-shùzi	astronomical figure	19
恬静	tiánjìng	tranquil	11
调节	tiáojié	regulate	15
听诊器	tīngzhěnqì	stethoscope	20
团结	tuánjié	unite	1
推崇	tuīchóng	praise highly	10
推广	tuīguǎng	popularize	17
推托	tuītuō	make excuses (for not doing something)	1
推销	tuīxiāo	promote sales	15
陀螺	tuólúo	whipping top	11
王母娘娘	Wángmǔniángniang	the Queen Mother (character from Chinese legend)	1
忘怀	wànghuái	forget, dismiss from one's mind	5
微词	wēicí	veiled criticism	14
威慑	wēishè	deter	15
威胁	wēixié	threaten	15
委屈	wěiqu	feel aggrieved or wronged	13
委以重任	wěiyǐzhòngrèn	charge with important task	10
温和	wēnhé	gentle	1
文本	wénběn	text, document	4
文科	wénkē	liberal arts	18
文物	wénwù	cultural relic	12
五花八门	wǔhuā-bāmén	all kinds of	9
无可非议	wúkě-fēiyì	beyond reproach, not reprehensible	19
无聊	wúliáo	bored	13
熙熙攘攘	xīxī-rǎngrǎng	bustling	10
洗劫	xǐjié	loot, sack	6
狭隘	xiáài	narrow and limited	8

仙境	xiānjìng	fairyland	11
贤妻良母	xiánqī-liángmǔ	a good wife and a kind mother	18
显示	xiǎnshì	show	19
现象	xiànxiàng	phenomenon, appearance of things	18
镶嵌	xiāngqiàn	inlay	6
想像	xiǎngxiàng	imagination	3
心安理得	xīn'ān-lǐdé	feel at ease and justified	5
心领神会	xīnlǐng-shénhuì	understanding	5
心理学	xīnlǐxué	psychology	18
心满意足	xīnmǎn-yìzú	satisfied	3
胸腔	xiōngqiāng	chest	20
朽木不可雕	xiǔmù bùkě diāo	rotten wood cannot be carved; a useless person	13
酗酒	xùjiǔ	become drunk and violent, hard drinking	14
叙旧	xùjiù	talk about the old days	17
绚丽	xuànlì	bright and colorful	11
学历	xuélì	record of formal schooling	19
学子	xuézǐ	student	18
巡逻	xúnluó	patrol	10
言简意赅	yánjiǎn-yìgāi	concise and comprehensive	13
眼花缭乱	yǎnhuā-liáoluàn	dazzled, overwhelmed	15
洋葱	yángcōng	onion	9
养殖	yǎngzhí	breed	17
吆喝	yāohe	shout	10
妖艳	yāoyàn	alluring, seductive	14
摇摇欲坠	yáoyáo-yùzhuì	shaking and about to fall	11
一触即发	yīchù-jífā	be triggered at any moment	20
一刹那	yīchà'nà	a split second	7
依次	yīcì	in order	19
依靠	yīkào	rely on	1
依山傍水	yīshān-bàngshuǐ	situated at the foot of a hill and beside a stream	11
依偎	yīwēi	snuggle up to, lean close to	1
遗失	yíshī	lose	4
以讹传讹	yǐ'é-chuán'é	pass on wrong reports	17
因素	yīnsù	factor	18
阴郁	yīnyù	gloomy, melancholy	8
隐隐约约	yǐnyǐn-yuēyuē	indistinctly	5
婴儿	yīng ér	baby	5
萤火虫	yíng huǒ chóng	glowworm	11
迎刃而解	yíngrèn-érjiě	easily solved	20
硬件	yìngjiàn	hardware	20

应时	yìngshí	at the proper time	8
营养	yíngyǎng	nutrition	19
臃肿	yōngzhǒng	bloated	5
踊跃	yǒngyuè	eagerly	15
忧心忡忡	yōuxīn-chōngchōng	heavy-hearted	20
悠悠	yōuyōu	long,long-drawn-out	5
友善	yǒushàn	friendly	1
宇航	yǔháng	space navigation	15
余暇	yúxiá	spare time,leisure	15
预谋	yùmóu	plan in advance	6
寓言	yùyán	fable	1
原版	yuánbǎn	original edition	10
缘分	yuánfèn	lot or luck by which people are brought together	6
远见卓识	yuǎnjiàn-zhuóshí	farsighted	7
允许	yǔnxǔ	allow	1
赞助费	zànzhùfèi	(required) money assistance	17
择偶	zé'ǒu	choose a spouse	19
蘸	zhàn	dip in (sauce etc.)	19
占据	zhànjù	occupy	11
战略	zhànlüè	strategy	18
招领	zhāolǐng	(of a notice)Found	4
折叠	zhédié	fold	5
折断	zhéduàn	break	1
珍藏	zhēncáng	treasure	13
真挚	zhēnzhi	cordial	15
蒸汽机车	zhēngqìjīchē	steam locomotive	7
郑重	zhèngzhòng	seriously	17
执法	zhífǎ	law enforcement	16
执意	zhíyì	insist on	5
智力	zhìlì	intelligence	18
智商	zhìshāng	intelligence quotient	
中毒	zhòngdú	be poisoned	9
嘱咐	zhǔfù	tell,instruct	8
主讲人	zhǔjiǎngrén	speaker	4
注定	zhùdìng	be doomed	20
助兴	zhùxìng	add to the fun, join in the fun	4
转达	zhuǎndá	pass on	8
桩	zhuāng	stake	10
追溯	zhuīsù	trace back	10
紫禁城	Zǐjìnchéng	the Forbidden City	12

自言自语	zìyán-zìyǔ	talk to oneself	3
自费	zì-fèi	at one's own expense	19
自相矛盾	zìxiāng-máodùn	mutually contradictory	1
字正腔圆	zìzhèng-qiāngyuán	with clear articulation and melodious tone	13
走马观花	zǒumǎ-guānhuā	fleeting view;take a brief look at	5
阻挡	zǔdǎng	stop,obstruct	1
罪犯	zuìfàn	criminal	20

责任编辑　蔡希勤
封面设计　朱　丹

汉语写作教程
罗青松　编著
*

华语教学出版社出版
(中国北京百万庄路24号)
邮政编码 100037
电话:(86)10-68994599
(86)10-68326333
传真:(86)10-68994599
电子信箱:sinolingua@ihw.com.cn
北京宏文印刷厂印刷
中国国际图书贸易总公司发行
(中国北京车公庄西路35号)
北京邮政信箱第399号　邮政编码 100044
1998年(16开)第一版
2001年第二次印刷
(汉英)
ISBN 7-80052-523-6/H·722(外)
定价:26.00元
9-CE-3286P